Curso de español de los negocios

En equipo.es 2

Olga Juan Lázaro
Marisa de Prada Segovia
Ana Zaragoza Andreu

NIVEL INTERMEDIO

EDITORIAL EDINUMEN

© Editorial Edinumen
© Olga Juan, Marisa de Prada y Ana Zaragoza

ISBN: 84-95986-21-3
Depósito Legal: M-21.459-2003
Impreso en España
Printed in Spain

Coordinación editorial: *Reedición 2005*
  Mar Menéndez y María José Gelabert

Diseño y maquetación:
  Susana Fernández y Juanjo López

Fotografías:
  Fernando Ramos Jr., PhotoDisc® y archivo Edinumen.
  Y nuestro agradecimiento a Mar Raventós, Juan José Hidalgo, José Lladró, Purificación García,
  Familia Farga, Beatriz Carro, Maite Losantos Gómez-Acebo, Rocío García y Alberto Ramos.

Impresión:
  Gráficas Glodami. Coslada (Madrid)

Fotomecánica:
  Reprosagasta. Madrid

Documentos, fotografías y agradecimientos:
  Queremos agradecer muy especialmente la colaboración prestada por Ana Sánchez
  (Venezuela), Paula Hopfenblatt (Chile), Juan Ignacio Canales (Chile), Mariano Pelorosso
  (Argentina), Guillermo Cadirola (Argentina), Teresa Abdala (México), Antonio Molero (resi-
  dente durante muchos años en Venezuela y Chile), Sally Carro Goodwill (residente en Chile,
  Venezuela y México) y Bolsa de Madrid (España).

**Instituto
Cervantes**

**Este método se ha realizado de acuerdo con el Plan Curricular del Instituto Cervantes,
en virtud del Convenio suscrito el 3 de agosto de 2001**

La marca del Instituto Cervantes y su logotipo son propiedad exclusiva del Instituto Cervantes

Reservados todos los derechos. No está permitida la reproducción parcial o total de este libro, ni su tratamiento
informático, ni transmitir de ninguna forma parte alguna de esta publicación por cualquier medio mecánico,
electrónico, por fotocopia, grabación, etc., sin el permiso previo y por escrito de los titulares de copyright.

Editorial Edinumen
Piamonte, 7. 28004 - Madrid
Tfs.: 91 308 51 42 - 91 319 85 37
Fax: 91 319 93 09
e-mail: edinumen@edinumen.es
www.edinumen.es

Introducción

En equipo.es
Curso de español de los negocios

En equipo.es es un método dirigido a todos aquellos profesionales que deseen profundizar en sus conocimientos de español centrando su atención en el ámbito específico de los negocios.

Se divide en tres niveles, *En equipo.es 1, nivel elemental*, dirigido a estudiantes que desde el primer momento deseen aprender español de los negocios; ***En equipo.es 2, nivel intermedio***, que es el volumen que nos ocupa; y *En equipo.es 3, nivel avanzado*.

Es un manual centrado en el alumno y que sigue un modelo curricular comunicativo basado en el enfoque por tareas. Para su elaboración hemos tenido en cuenta tanto las teorías lingüísticas (qué enseñar, tomando como referencia el *Plan Curricular del Instituto Cervantes*) como las teorías sobre la adquisición de lenguas (cómo se aprende) y se ha concebido atendiendo a los cuatro componentes básicos que intervienen en el proceso de enseñanza-aprendizaje: el estudiante, el profesor, el aula y el material de trabajo.

La metodología y la secuenciación de los contenidos tienen como fin ofrecer al alumno la posibilidad de poder transferir las funciones comunicativas presentadas y practicadas en el aula a situaciones fuera del aula, en los contextos en los que los estudiantes las necesiten.

El contenido que presentamos es rico, variado y motivador para el alumno tanto en los materiales seleccionados como en las actividades propuestas y orientadas al ejercicio de las cuatro destrezas (comprensión oral, interacción oral, comprensión lectora y producción escrita).

Se proponen diferentes registros, ya que el uso de un registro formal o un registro informal o coloquial puede contribuir al éxito de un encuentro de negocios o laboral. Junto a este aspecto, cabe destacar el interés prestado al componente socio-cultural de la lengua y a la riqueza que surge del contraste entre el español peninsular y el español de hispanoamérica.

Cada nivel de **En Equipo.es** se compone de:

- Libro del alumno, estructurado en ocho unidades con sus correspondientes tareas finales, tras las cuales se presentan las páginas tituladas "Hispanoamérica" en las que se recogen los contenidos de la unidad trabajados a partir de las variantes culturales y lingüísticas del otro lado del Atlántico. Cierra cada volumen un apéndice gramatical con ejemplos sacados del material presentado.

- Libro de ejercicios, donde se incluyen: ejercicios y actividades de autoevaluación, claves, transcripciones y audiciones en CD de todo el material, así como un apéndice con direcciones de páginas *web* útiles tanto al profesor para orientar sus clases como al estudiante para consultas informativas, y un glosario de los términos que aparecen en el libro.

- Libro del profesor, recoge propuestas y alternativas para la explotación de las actividades presentadas en el libro del alumno, así como material complementario fotocopiable.

Por último, sólo nos resta decir que **En equipo.es** es fruto de nuestra experiencia en el aula como profesoras de español de los negocios y de varios años de trabajo, contrastando y experimentando con las actividades y su secuencia y con estudiantes muy heterogéneos.

Olga Juan
Marisa de Prada
Ana Zaragoza

Índice

En el método se han usado los siguientes símbolos gráficos:

 Trabajo individual

 Trabajo en pequeño grupo

 Audio
|X| [Número de la grabación]

 Trabajo en parejas

 Trabajo de gran grupo o puesta en común

 Fíjate

En esta unidad aprendes a...

■ **Introducir y exponer las razones de algo**

Mira...
Pues, verás...
Mis razones son las siguientes...

■ **Hablar de la forma de ser de las personas en el trabajo**

Durante mi primer trabajo era muy conservador, pero ahora con la experiencia soy más arriesgado.
Mi jefa parece una persona muy trabajadora.

■ **Describir características de una situación del pasado**

No había conseguido igualar a su antecesor.

■ **Invitar o proponer algo**

¿Le apetece...?
¿Por qué no...?

■ **Aceptar y rechazar una invitación o un ofrecimiento**

Encantado. / De acuerdo, me parece bien.
Lo siento, ya sabes que...

■ **Proponer el tuteo**

¿Qué le parece si nos tuteamos?

■ **Preguntar si se sabe algo y responder de forma negativa**

▶ ¿Sabes si...?
▷ No, la verdad es que no lo sé. / No, no tengo ni idea, lo siento.

■ **Corregir lo que uno mismo ha dicho**

Perdón, me he confundido. Quería decir...

■ **Preguntar y responder por la duración de una acción o situación**

▶ ¿Desde cuándo...?
▷ Llevo diseñando...

■ **Mostrar que se está siguiendo la intervención de otra persona**

¡Ah, sí!, ¿de verdad?

■ **Preguntar por el estado del interlocutor y responder a la pregunta**

▶ ¿Cómo te va la vida?
▷ No puedo quejarme.

unidad 1

Empresarios y ejecutivos españoles

1. ¿Quién era quién a principios del siglo XXI? Retrato empresarial

1.1. Formad grupos de 4. ¿Conocéis la vida de estos empresarios españoles? Te proponemos un cambio de identidad y de nacionalidad. Ahora eres un empresario español muy conocido. Elegid quién os gustaría ser de entre estos cuatro personajes. Primero escuchadlos y, después, cada uno leerá, sólo, la información correspondiente a uno de ellos.

[1]

José Lladró
El fabricante de las porcelanas más famosas de España
Copresidente de Lladró

A. En 1957, en Valencia, hace ahora más de 40 años, inauguré mi primera tienda, un pequeño local en alquiler que servía, sobre todo, para dar a conocer el producto y contactar con otros fabricantes.

Un año más tarde, realicé mi primer viaje al extranjero, mi destino fue una feria en Alemania, donde me trasladé con mis hermanos. El maletero del coche iba lleno de figuras pero no vendimos ninguna. Como consuelo nos trajimos del país un mejor conocimiento de los sistemas de producción alemanes.

Desde entonces he tenido muchas experiencias en mi vida y he llegado a la conclusión de que si una persona es trabajadora, apasionada y le gusta hacer cosas por los demás, seguro que no le parece un sacrificio ejercer el oficio de empresario.

B. La estructura del grupo está formada por un director general, que es de la familia, y cinco gerencias distintas. Hace unos años llevé la gerencia de servicios y relaciones públicas para el accionariado.

Ser una empresa familiar supone que todo su accionariado debe ser familia, por lo tanto, hay que promover buenas relaciones entre nosotros.

Mi equipo y yo nos ocupábamos de las inquietudes de ese accionariado que está formado por 170 accionistas y 450 miembros de la familia. Formamos un grupo bien cohesionado que ayudaba a aconsejar a nuestros accionistas y miembros sobre el cómo, el dónde y el cuándo invertir; era como una oficina en la que se hacían inversiones. Sin embargo, mi preocupación también se centraba en conseguir rentabilizar las bodegas que tenemos y, por ello, decidí alquilarlas los fines de semana a cualquier compañía que deseaba organizar algún evento en nuestras instalaciones. Tuvimos mucho éxito con esta idea.

Mar Raventós
Una empresaria del sector vinícola
Presidenta de Codorníu

C. Una de mis características profesionales es que me gusta controlar hasta el más mínimo detalle y delegar lo menos posible, y eso lo llevo haciendo desde hace muchos años. Todas las prendas que se fabricaban en mis talleres pasaban por mis manos y las supervisaba detalladamente, lo que todavía hago. Para mí no hay horarios y todo gira en torno al negocio.

Me gusta contagiar entusiasmo al medio centenar de personas que trabajan conmigo. Desde mis comienzos en este sector siempre he sentido la necesidad de motivar e ilusionar.

Purificación García
Una modista famosa
Presidenta de Purificación García

Juan José Hidalgo
Un empresario de altura
Presidente de Air Europa

D. Soy muy lanzado y positivo, nunca me ha importado correr ciertos riesgos. Claro que he pasado momentos muy difíciles, pero siempre he salido fortalecido de ellos. Por ejemplo, cuando compré mi primera empresa no sabía muy bien lo que compraba porque era una compañía declarada en quiebra, pero yo tenía que transportar viajeros durante el verano y no me quedaba más remedio que comprar la empresa si quería hacerlo.

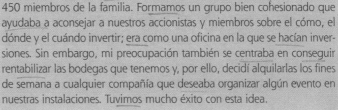

¿qué cualidades admiran?

Texto adaptado del libro *El sueño español*, Javier del Castillo y de Web *Entrada Este* de la Universidad de Navarra.

1.2. Escribid en la pizarra el vocabulario nuevo. ¡Atención, no escribas las palabras que ya ha escrito otro compañero! Intentad hacer hipótesis sobre su significado entre todos y comentadlas.

 1.3. Ahora, explícales a tus compañeros de grupo tu vida como empresario español. Mientras escuchas, escribe en la columna correspondiente los tiempos de pasado que usan tus compañeros de equipo.

Ejemplo: *Soy Jose Lladró, soy valenciano, inauguré mi primera tienda en...*

Pretérito perfecto	Pretérito imperfecto	Pretérito indefinido
		inauguré

 1.4. Comparad vuestros resultados. ¿Quién ha identificado y escrito más verbos? ¡Felicidades al campeón!

 1.5. Ahora que ya conocéis a cuatro personajes de la vida económica española, valorad sus actuaciones como empresarios. ¿Cuáles creéis que han sido las claves de su éxito?

Para introducir y exponer las razones de algo puedes usar:

* Mira...
* Pues, verás...
* Mis razones son las siguientes...

Ejemplo: ▶ *Mira, para mí, el éxito está en cuidar los detalles, como dice...*

▷ *Pues, verás, para mí esto no es tan importante, lo fundamental es trabajar y trabajar mucho, como explica... porque así...*

1.6. **Vuelve a leer el texto y subraya** *desde, desde hace, hace* **que encuentres. ¿Hay alguno en tu lectura? ¿Cuántos han encontrado tus compañeros?**

DESDE

* **Desde** entonces + presente de indicativo o pretérito perfecto

Ejemplo: ▶ *Desde entonces trabajo allí y he ganado en calidad de vida.*

DESDE HACE

* **Desde hace** + periodo de tiempo + presente de indicativo o pretérito perfecto

Ejemplo: ▶ *Llevo la contabilidad de esta empresa desde hace muchos años.*

HACE

* **Hace** varios años + pretérito indefinido

Ejemplo: ▶ *Me transladaron hace cinco años a Valencia.*

1.7. **Ahora, pregunta a tu compañero sobre su vida profesional.**
Usa *desde, desde hace* **o** *hace*. **Tomad notas y completad la tabla de la página siguiente.**

Para preguntar usamos: ¿Desde cuándo...? o ¿Hace mucho que...?

Ejemplo: ▶ *¿Desde cuándo trabajas en Codorníu?*

▷ *Desde hace 12 años. Y tú, ¿hace mucho que eres director de finanzas?*

▶ *Desde el 3 de enero pasado, lo recuerdo muy bien porque... .*

Nombre del alumno	Desde hace	Desde	Hace
Ejemplo: Paul	Trabaja en... desde hace 5 años		Llegó a la filial española hace 4 años

1.8. **¿Quién es? ¡Vamos a conocernos un poco mejor!**
Leed en voz alta un momento de la historia profesional de uno de vuestros compañeros, ¡no digas su nombre!
¿A quién se refiere? Preguntadle detalles.

Ejemplo: ▶ *Llegó a la filial española hace 4 años.*

▷ *Es Paul, seguro, a mí también me lo ha dicho.*

▶ *¡Ah!, ¿sí? Yo no lo sabía. Paul, ¿por qué viniste a España?*

▷ *Pues, porque me ofrecieron un puesto mejor y quería conocer este país.*

2. ¿Cómo son algunos empresarios?

2.1. **De la siguiente lista de adjetivos, ¿cuáles aplicarías a cada uno de los empresarios anteriores? (Pueden repetirse los adjetivos).**

• familiar	• decidido/a	• aventurero/a
• cordial	• innovador/a	• detallista
• apasionado/a	• creativo/a	• exigente
• idealista	• reflexivo/a	• arriesgado/a
• afable	• productivo/a	• conservador/a
• positivo/a	• emprendedor/a	• moderno/a
•	•	• ....

José Lladró

positivo
innovador
productivo
aventurero
moderno
innovadora
arriesgado

Purificación García

actual
decidida
productiva
exigente

Mar Raventós

detallista
carismal
positiva
decidida
productiva

Juan José Hidalgo

apasionado
positivo
creativo
productivo
aventurero
arriesgado

- El adjetivo se coloca generalmente detrás del nombre y, en este caso, permite diferenciar al sustantivo de otros posibles sustantivos.
  - *Mi jefa parece una persona muy trabajadora.*

- Si se coloca el adjetivo delante, añade una función de énfasis.
  - *Inauguré un pequeño local.*

- El adjetivo se coloca detrás del verbo *ser* o *estar*.
  - *Juan José Hidalgo es positivo.*

2.2. Compara y comenta con tu compañero las diferentes listas. Argumenta tus decisiones.

Ejemplo: ► *Me parece que Luis González debe de ser una persona moderna y arriesgada.*

▷ *Pues yo lo veo como un empresario conservador y reflexivo.*

2.3. Piensa cómo eras tú hace unos años en tu vida laboral y cómo eres ahora.

2.4. Coméntalo con tu compañero.
Usa los adjetivos de la lista anterior y añade los que creas necesarios. Puedes usar antónimos *(seguro, inseguro)* **para expresar lo contrario de un adjetivo.**

Ejemplo: ► *Durante mi primer trabajo era muy conservador, pero ahora con la experiencia soy más arriesgado, supongo que tengo más seguridad en mí mismo.*

▷ *¿Tienes seguridad en ti mismo? Pues yo no soy nada seguro. Al contrario, todavía me noto muy inseguro e indeciso cuando debo afrontar algún problema.*

3. La historia de un empresario

[2]

3.1. Hoy entrevistan a Gabriel Barceló, presidente del grupo del sector turístico Grupo Barceló, en el programa radiofónico *Grandes Empresarios*. Antes de la entrevista, hacen un pequeño reportaje sobre la vida del protagonista del día. Escúchalo y completa la información que falta.

Barceló Hotels & Resorts
Gabriel Barceló

(1)............................... a finales de los años veinte, en Palma de Mallorca. *(2)* .... a trabajar con su padre muy joven, cuando *(3)* .... 11 años.

En 1954, *(4)*.....................su primera oficina de viajes. En aquel entonces, sólo *(5)* ....*dos empleadas en la modesta oficina; una de ellas (6)* .... idiomas y *(7)* .... a aquellos primeros turistas extranjeros que *(8)*.................. a llegar a Mallorca.

En los años sesenta *Viajes Barceló (9)* .... el negocio y *(10)* ....sus primeros hoteles.

Buenos días, Sr. Barceló.

3.2. Vuelve a escuchar y corrige tu ejercicio. ¿A qué infinitivo corresponde cada pasado?

Verbo de la historia profesional del Sr. Barceló	Infinitivo
1.	
2.	
3.	
4.	
5.	
6.	
7.	
8.	
9.	
10.	

- El indefinido se usa para indicar hechos:

  En 1996 trabajé de jefe de personal.

- El imperfecto para describir situaciones:

  ► *¿Y cuáles eran sus funciones?*

  ▷ *Pues, tenía que llevar las nóminas de toda la empresa, entrevistaba a los nuevos candidatos...*

3.3. Tu historia.
Dibuja una estrella, en cada punta escribe una fecha significativa de tu vida personal y profesional.

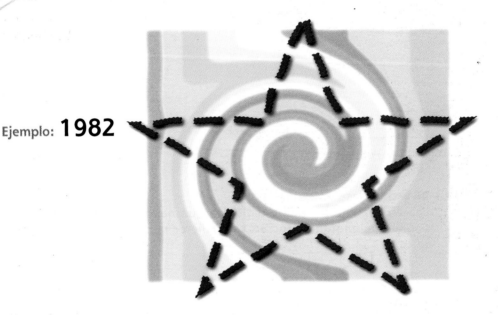

Ejemplo: **1982**

3.4. En grupos de tres:

- **Un alumno dice una fecha de las escritas y sus compañeros le hacen preguntas hasta descubrir qué paso en esa fecha con todos los detalles.**

- **El alumno protagonista de la fecha sólo puede contestar sí o no. Si es afirmativa la respuesta, deberá dar más detalles.**

  Se hace una rueda con las fechas de los compañeros hasta tener toda la información.

Ejemplo: ► *1982*

▷ *¿Trabajaste por primera vez?*

► *No.*

► *¿Enviaste tu primer currículo?*

► *No.*

▷ *¿Acabaste la universidad?*

► *Sí, me gradué en finanzas, tenía 21 años.*

3.5. **Ahora eres un periodista.**
Escribe una pequeña cuña radiofónica de uno de tus compañeros de equipo con la información que has obtenido en la actividad 3.4. Puedes inspirarte en la que has oído del Sr. Barceló. Tenéis que poneros de acuerdo sobre quién va a ser el compañero elegido para no repetir los textos.

3.6. **Dividid la clase en dos grupos.**
Lee en voz alta la cuña radiofónica que has preparado, pero no digas el nombre del protagonista. Tus compañeros deben descubrir de qué alumno se trata.

4. Reunión de famosos

[3]

4.1. **Copa de Navidad en la sede de la empresa Fomento de Obras y Servicios.**

La empresaria Elena Kaplatis, propietaria de la mayoría de la compañía, invitó a varios personajes famosos españoles, entre ellos varios periodistas.

La copa navideña se celebró en la sede de la empresa, en la madrileña Torre Picasso.

Vamos a escuchar algunos breves diálogos entre los asistentes que hemos podido grabar y reproducimos aquí.

4.2. Completa los diálogos.

1.

Luis: ....

Fernando: ....

Luis: Así es más fácil para poder mantener una charla informal.

2.

Valentín: ¿..............................., Rafael? Hace tiempo que no sé de ti, creo que la última vez que nos vimos fue en Bilbao, ¿no es así?

Rafael: Sí, tienes razón, fue en la inauguración de la exposición de Chillida. Ahora estoy dedicado de lleno a un proyecto...

3.

Paloma: ¿....................... un poco más de cava?

Joaquín: ...., hace tiempo que no tomaba un cava tan exquisito, ya sabe ahí en Los Ángeles...

4.

Jesus: ¿........................... intentamos tener una colaboración en algunos proyectos que pueden darnos bastantes beneficios?

Isidoro: .... Me gustaría mucho, pero ya sabes que en nuestra empresa todo está muy controlado, y vamos a seguir así.

5.

Pilar: ¿........................... estás trabajando en este proyecto?

Santiago: ¡Uy! .... un montón de meses diseñando los planos y ahora ya por fin nos vamos a poner manos a la obra.

6.

Emilio: ¿........................... si Luis y Josep están preparando un viaje de empresa a Cuba?

Ana: Pero, Emilio, ¿qué dices? ....de lo que me hablas. ¿No estarás equivocado?

Emilio: Perdón, ...a Perú.

7.

Beatriz: El otro día estuve en la presentación del libro *El bosque del líder* de Juan Carlos Cubeiro. Fue muy interesante y el autor me parece un gran conocedor del mundo de los negocios.

Luis: ....

8.

Amparo: ....

Iñaki: ...., últimamente estoy entrevistando a personajes del mundo de la empresa familiar, y todo lo que me cuentan me parece interesante.

Amparo: ¡Uf!, a mí me da la impresión de que todos dicen lo mismo.

4.3. Volved a leer los diálogos y buscad las expresiones que corresponden a cada hoja.

Invitar a algo

Aceptar una invitación o un ofrecimiento

Rechazar una invitación o un ofrecimiento

Proponer el tuteo

Proponer algo

Preguntar por el estado del interloculor y responder a la pregunta

Preguntar si se sabe algo y responder a la pregunta

Corregir lo que uno mismo ha dicho

Preguntar y responder por la duración de una acción o situación

Mostrar que se está siguiendo la intervención de otra persona

5. Entrevista a famosos

Durante la fiesta que se celebró en la Torre Picasso, uno de los periodistas asistentes concertó entrevistas radiofónicas con la empresaria Agatha Ruiz de la Prada, conocida diseñadora de moda, y con Almudena Alonso, directora de Recursos Humanos de Ernst Young para Europa Occidental.

5.1. En la transcripción de la primera entrevista nos han pasado las preguntas y las respuestas, ¿nos puedes ayudar a relacionarlas?

Pregunta	Respuesta
1. ¿Cuándo empezaste a diseñar?	a) Por supuesto. La gente tiene que darse cuenta de que si te diseñas la vida, se te acaba pareciendo. Si te diseñas el día y te pones de naranja y rojo, es muy difícil tener un día malo y aburrido.

Pregunta	Respuesta
2. ¿Cómo consigues transmitir a tu equipo tu filosofía y tus ideas innovadoras?	b) En el colegio. Allí solía pasar muchas horas dibujando. A los diez años ya decidí ser diseñadora.
3. ¿En qué te inspiras?	c) Me gustaría tenerlo, porque tengo muy poco, entre el trabajo, los hijos y mi pareja, no me sobra ni un minuto al día, pero también me gusta dormir, leer, pasear y estar con mis amigos.
4. ¿Crees que el color que llevas en la ropa te puede influir en el día?	d) Suelo hacerlo en el arte contemporáneo.
5. ¿Crees que en la calle se ve ropa bastante clásica?	e) Esta es una de las cosas que más me ha importado y, no obstante, estoy bastante deprimida y decepcionada con este tema. Creo que aprendo yo más de la gente nueva que ellos de mí, ya no tienen tiempo de aprender.
6. ¿Qué te gustaría hacer en tu tiempo libre?	f) Todavía hay mucha gente preocupada por el "qué dirán" y por eso no se atreven a llevar algo más innovador.

Adaptado de http//www.elle.navegalia.com

SOLER

- El verbo *soler* sólo se usa en presente de indicativo y en pretérito imperfecto.
  ► *Suelo hacerlo en el arte contemporáneo.*
  ► *Solía pasar muchas horas dibujando.*

5.2. **Prepara seis preguntas para formularle a tu compañero usando el verbo** *soler* **en presente o en imperfecto.**

Él te va a responder también usando ese mismo verbo.

Ejemplo: ► ¿Cómo sueles reaccionar cuando hay conflictos en tu departamento?
▷ Suelo...
► ¿En qué época del año solías organizar seminarios de formación en tu anterior empresa?
▷ Solía...

-
-
-
-
-
-

[4]

5.3. **Escucha la entrevista realizada a Almudena Alonso, directora de RR.HH. de Ernst Young para Europa Occidental.**

5.4. Completa este diálogo con las palabras que aparecen a continuación. Después, escucha de nuevo y comprueba.

> elegir • se estabiliza • prioritaria
> reducción • extranjero • relajada

▶ **Entrevistador.** No es muy común ver a mujeres en la estratosfera de las consultoras, sinónimo de señor con traje y maletín de ejecutivo.

▷ **Almudena Alonso.** Sí, ésa es la realidad. Esta profesión requiere muchas horas y mucho tiempo fuera de casa. Cuando eres soltera y joven estás encantada. Después, cuando la vida *(1)* ...., es muy complicado estar fuera. Tradicionalmente, la mujer decide ralentizar su carrera a cambio de estar también en casa, lo que es absolutamente gratificante.

▶ **E.** Adivino una balanza bastante equilibrada entre su vida privada y la profesional.

▷ **A.A.** Mi vida personal es absolutamente *(2)* .... Cuando estoy toda la semana en Madrid, aprovecho para sacar tiempo para mí.

▶ **E.** Y cuando está fuera, ¿cómo se organiza?

▷ **A.A.** Yo suelo pasar dos días en Madrid y tres en el *(3)* .... La tónica cuando viajo es reunión –¡cuánto tiempo se pierde en ellas!–, comida, reunión y cena de trabajo.

▶ **E.** ¿Para aprovechar mejor el tiempo prefiere el horario español o el internacional?

▷ **A.A.** El español, sin duda. Me permite estar un poco más *(4)* ....a la hora de madrugar. En la comida, aunque puede ser de trabajo, se rompe un poco el ritmo. Es más ritual: se elige el vino, se charla... y sólo a los postres se empieza a hablar de trabajo.

▶ **E.** ¿Se ve capaz de abandonar su carrera por volver al hogar?

▷ **A.A.** No sé, aunque entiendo a las mujeres que lo hacen. En nuestra empresa se está aplicando la fórmula americana del *life style*, que consiste en una *(5)* ....de jornada para ejecutivas muy valiosas. Así no tienen que verse obligadas a *(6)* .... entre vida privada o profesional.

▶ **E.** Cuando se siente agobiada, ¿cuál es su oasis?

▷ **A.A.** Pienso en mi casa. Es el sitio donde me gusta estar, porque ahí tengo todo lo que quiero.

Adaptado de htpp//www.elle.navegalia.com

5.5. Después de leer la entrevista con Almudena Alonso discutid en grupo las ventajas y desventajas de ser mujer en un puesto directivo. Escribidlas en las columnas correspondientes.

Ventajas	Desventajas
1.	
2.	
3.	
4.	
5.	
6.	

Ejemplo: • Una ventaja femenina es que la mujer dialoga mejor, escucha bien...
• Una desventaja es, quizás, que es demasiado exigente y perfeccionista con su trabajo y el de los demás.

5.6. Puesta en común.

6. Mis entrevistas a directivos y empresarios

6.1. Después de haber trabajado las anteriores entrevistas, ahora te toca a ti. Piensa en 3 personajes famosos del mundo empresarial.
¿Qué preguntas te gustaría hacer a cada uno? Escribe el personaje y la pregunta.

Personaje 1

Personaje 2

Personaje 3

6.2. Elegid a uno de vuestros compañeros y formulad las preguntas que habéis escrito. Él va a hacer lo mismo contigo u otro compañero.
Dejad volar vuestra imaginación para responder a las preguntas, porque ahora eres tú ese personaje.

6.3. Puesta en común.
¿Cuáles son las mejores preguntas y respuestas?

7. El bosque del líder

[5]

7.1. Escucha el texto siguiente perteneciente a la introducción del libro *El bosque del líder* del autor Juan Carlos Cubeiro. Escribe todas las formas del tiempo pretérito pluscuamperfecto de indicativo que escuches.

Ejemplo: Había conseguido.

Pretérito pluscuamperfecto

1. _____ 5. _____
2. _____ 6. _____
3. _____ 7. _____
4. _____ 8. _____

7.2. Entre todos intentad deducir el uso de este tiempo verbal y completad la siguiente explicación.

El pretérito pluscuamperfecto se usa ....
....
....

7.3. Vuelve a escuchar la audición. Contesta a las siguientes preguntas:

[5]

1 ¿Por qué Jesús estaba a punto de abandonarlo todo?
- Razón 1..
- Razón 2..

2 ¿Qué pasaba con el equipo?
....

7.4. Poned en común vuestras respuestas y contestad a las siguientes preguntas: ¿Por qué crees que Jesús ha llegado a esta situación después de estar dos años en este puesto? ¿Qué puede hacer Jesús para mejorar esta situación?

Ejemplo: ► Yo creo que no había llegado a igualar a su antecesor porque, quizá, las previsiones no habían sido realistas.

▷ ¿De verdad? Pues yo creo que él no estaba preparado, no había pensado nunca en cuidar las relaciones personales y esto siempre da problemas.

8. Preposiciones

Completa con una de las siguientes preposiciones: a, de, con, en, por y para.

1. .... mí no hay horarios y todo gira .... torno ...... el negocio.

2. Estoy .... acuerdo .... que .... la vida se cometen muchos errores, pero lo importante es darse cuenta .... ello.

3. .... partir .... 1975 se interesó .... la moda.

4. Todo esto se consigue .... organización y sentido .... el humor.

5. Jesús estaba .... punto .... abandonarlo todo.

9. Escribe

Memorando

9.1. El memorando es un documento interno de breve extensión que, muchas veces, se redacta en impresos preparados para ello. La estructura es muy simple.

Unidad 1

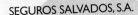

eguros
alvados

SEGUROS SALVADOS, S.A.

Memorando

Fecha: 12 de octubre de 2004
DE: María Antonia Cifuentes
A: Rosario Loma

Asunto: Te recuerdo que durante la semana del 16 al 20 del corriente es necesario presentar:
✔ Copias de todas las pólizas extendidas este año.
✔ Una lista de los nuevos asegurados.

Recibido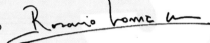

9.2. Escribe un memorando. Elige entre los siguientes asuntos:

– la fecha límite de presentación de facturas para la declaración trimestral del IVA.

– el período de devolución de material antes de la temporada primavera-verano, así como el pedido de compra.

En el texto debes incluir:

✔ *la fecha*

✔ *el nombre del emisor*

✔ *el nombre del receptor*

✔ *el asunto que se quiere comunicar*

✔ *la palabra Recibido debajo de la que el receptor debe firmar*

En cada palabra de más de una sílaba, en español, como en la mayoría de los idiomas, hay una sílaba que se pronuncia con más intensidad que las demás: es la sílaba tónica. Lee en alto las siguientes palabras cuya sílaba tónica es la penúltima (no se acentúan porque terminan en vocal, n o s).

Ejemplo: recuerdo, durante, semana, corriente, necesario, extendidas, etc.

10. Diferencias culturales

¡Qué bueno es mi jefe!

10.1. Lee las siguientes afirmaciones y marca la casilla correspondiente.

	(1) Sí, puede ser	(2) Me parece extraño	(3) No lo sé
El 84% de los empleados españoles está muy contento con sus jefes.			
Los empleados españoles prefieren un jefe abierto y directo.			
Los empleados franceses prefieren un jefe que toma decisiones claras.			
Los empleados alemanes califican a sus jefes de indecisos y lentos.			
El 6% de los empleados españoles opinan que su jefe es malo.			
El empleado español está convencido de que sus superiores son muy honrados.			
Los empleados noruegos creen que sus jefes dan las instrucciones claras y son personas decididas.			
El 69% de los empleados europeos cree que su jefe es bueno.			
Los empleados españoles dan una valoración superior a sus jefes comparada con la que dan sus colegas del resto de Europa.			
El 39% de los empleados alemanes opina que su jefe no es ni bueno ni malo.			
El empleado español opina que su jefe es bueno tanto desde el punto de vista humano como profesional.			
Los empleados europeos tienen mejor opinión de sus jefes si son mujeres.			
Los empleados alemanes opinan que sus jefes no aceptan sugerencias.			

Adaptado del artículo del mismo nombre de Jordi Palarea del periódico *La Vanguardia**

(1) Sí, puede ser: tu conocimiento de esa realidad te hace suponer que la afirmación es correcta.
(2) Me parece extraño: tu conocimiento de esa realidad contrasta bastante con la afirmación que se hace.
(3) No lo sé: no tienes criterios para poder considerar esta afirmación.

10.2. Y tus compañeros, ¿qué opinan?

*El artículo aparece reproducido en las claves del alumno del *Libro de Ejercicios* Unidad 1, ejercicio 10.

11. Lectura

Vuelve Cicerón

11.1. Lee dos veces el siguiente artículo.

Para llegar a ser un alto ejecutivo hace falta una carrera y dominar bien por lo menos dos idiomas, pero en el futuro quizás también será conveniente saber latín y griego.

Se ha observado que aquellos directivos que en la escuela secundaria aprendieron latín y griego poseen una precisión, tanto en el lenguaje como en el razonamiento, que no se encuentra en los demás. El latín es una lengua precisa, que requiere seguir unas reglas estrictas. Su aprendizaje contribuye a tener ideas claras, un factor de gran importancia para dirigir bien una empresa.

Los licenciados en Económicas o en una carrera científica, pero con formación humanística, están mejor capacitados para comunicarse con otras personas y para hacerles cumplir sus objetivos con convicción. Suelen ser más aptos para afrontar un problema desde varios puntos de vista.

Sin embargo, la opinión del presidente de una compañía de cazatalentos es algo distinta, él opina: "Por mi experiencia diría que los ejecutivos más brillantes son aquellos que tienen una actitud de curiosidad universal desde su infancia. Acostumbran a ser personas que se interesan por varias disciplinas y que tienen una vida personal muy rica. Ello se traduce en la empresa en una mayor capacidad para relacionar varios temas y en sensibilidad para tratar a las personas".

Tampoco parece estar muy de acuerdo con el latín y el griego el presidente de la empresa B.T., el señor Julio López-Amo: "La geometría y las matemáticas ayudan a precisar el pensamiento igual que el latín. Pero sí es cierto que la formación humanística forma ejecutivos menos monotemáticos y ello redunda positivamente en la gestión de una empresa."

Adaptado del artículo "Vuelve Cicerón", *La Vanguardia*, Jordi Palarea

11.2. Después de haber leído dos veces el texto anterior y, sin mirarlo, completa las frases siguientes.
Deben tener el mismo sentido que aparece en el artículo.

1. Para llegar a ser un alto ejecutivo hace falta ....
....

2. Se ha observado que aquellos directivos que en la escuela secundaria aprendieron latín y griego poseen...
....

3. Los licenciados en Económicas o en una carrera científica, pero con formación humanística, están mejor...
....

4. La geometría y las matemáticas ayudan a..
....

Tarea final

El Presidente de HICIDE Computer España deja el Consejo de Administración de la compañía por motivos personales. En el consejo quieren a un español para la silla que deja.

HICIDE Computer

- Multinacional estadounidense, con sede en España y 550 empleados.

- Facturación último año: 673,94 millones de euros.

- El presidente y vicepresidentes españoles de HICIDE Computer España y Portugal son consejeros.

- HICIDE Computer España espera crecer este año en torno al 6% o al 8%, algunos puntos por encima de la media que se espera para la Unión Europea, que está en torno al 3,5 ó 4%.

- Perspectiva del sector: los fabricantes apuestan por los PDA –Asistente Personal Digital–, aparatos físicamente similares a las agendas electrónicas pero con funciones que los convierten en ordenadores de bolsillo.

- Sector en España: la venta de ordenadores en el 1er trimestre del año en curso es de 322 714 (crecimiento de un 2,9% respecto al 1er trimestre del año anterior).

1. Elaborad el currículo adecuado para la persona que debe sustituir al consejero saliente.
Pensad en todas aquellas características que debe tener una persona para acceder al Consejo de Administración de una empresa como la descrita.
Debéis darle nombre, edad, estado civil, etc., así como experiencia laboral, aficiones, idiomas, características psicológicas...
Aquí tenéis algunas propuestas.

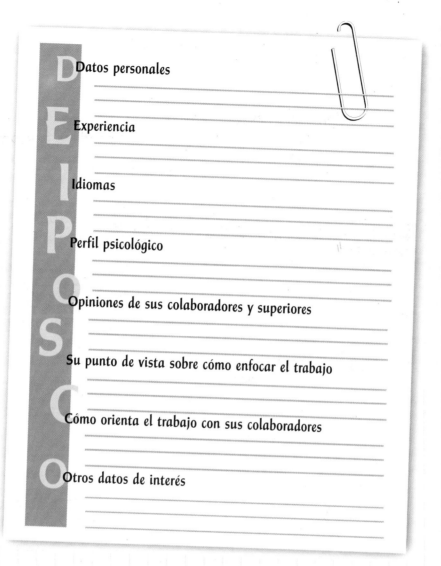

Datos personales

Experiencia

Idiomas

Perfil psicológico

Opiniones de sus colaboradores y superiores

Su punto de vista sobre cómo enfocar el trabajo

Cómo orienta el trabajo con sus colaboradores

Otros datos de interés

2. Haced una presentación de vuestro candidato al Consejo de Administración.

3. Preparamos un cóctel para dar a conocer a nuestros candidatos. Cada grupo identifica a su candidato con una cartulina y el nombre adoptado. El resto de compañeros tiene una cartulina que debe ofrecer a uno de los candidatos.
Gana el candidato que más votos o cartulinas recoja. Un consejo: sed simpáticos, hablad de la información que tenéis de otros candidatos, mostrad interés por lo que os cuentan, proponed el tuteo, etc.

Recordad usar los recursos lingüísticos vistos en la unidad.

CANDIDATA A
CONSEJO DE ADMINISTRACIÓN
Margarita Durán

HISPANOAMÉRICA

HISPANOAMÉRICA

1

Rodrigo Dos Santos acaba de llegar a su oficina en Río de Janeiro y se reúne con María Delia Magaró, la directora de marketing, que es argentina. Están comentando el viaje de Rodrigo y también...

Escucha atentamente.
[6]

Fíjate en las frases en rojo del diálogo siguiente, que es el mismo que acabas de escuchar. ¿Podrías comentarlas con tu compañero?

MD: Hola, Rodrigo, **¡qué bueno que llegaste!** ¿Cómo te fue?

RDS: Hola María Delia, han sido muchos días pero muy rentables. Nuestros socios en Argentina y México me han gustado, he contactado con gente de diferentes sectores económicos y todos muy interesados en nuestro programa de formación, ahora te cuento... ¿y por aquí qué tal?

MD: **Acá,** ¡bárbaro! Ya firmamos el contrato con los candidatos que **vos** entrevistaste por teléfono, **de ahora en más** nos van a contactar para trabajar con Pablo Daniel Galán en la Argentina y con Ligia Noriega en México. ¡Esto ya camina!

RDS: Estupendo. Es importante hacer el seguimiento de lo que hemos hecho en los dos países y ayudar a abrir mercado para apoyar el trabajo de nuestros socios y nuestros gerentes. ¿Puedes hacer un seguimiento de la información que te envié sobre algunos empresarios y empresarias que me parecieron interesantes?

MD: Sí, sí, de acuerdo. **En relación a** esto, elaboré un *dossier* con posibles clientes de diferentes **rubros** en los dos países que voy a visitar. **Luego de** nuestra reunión voy a enviárselo.

RDS: Perfecto, ¿y tu próximo viaje?, ¿cómo va la preparación?

MD: Bien, no **tenés que** preocuparte. El martes salgo para Chile y me encuentro **allá** con Federico Ferrarese; después asisto a la Feria de Business-Formación y...

RDS: Bien, bien...

¿Podría servirte de ayuda...?

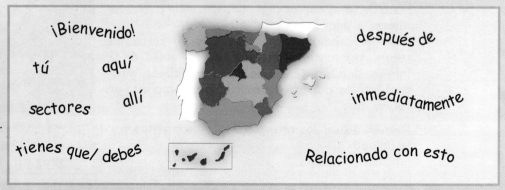

¡Bienvenido!

tú   aquí   después de

sectores   allí   inmediatamente

tienes que/ debes   Relacionado con esto

2 María Delia recibe la información de Rodrigo sobre personalidades del mundo empresarial, debe revisarla, hacer su seguimiento...
Abre el e-mail de Rodrigo y lee.

En parejas.
Primero, cada estudiante debe leer solamente la información o de Argentina o de México.

Sobre Argentina
Artículo de *La Nación*

Alumno A

Las mujeres ganan posiciones en los negocios.
Flexibilidad, organización y método son sus mejores armas.

En los últimos años, las mujeres también avanzaron en el mundo de los negocios y empezaron a aumentar su participación en empresas hasta alcanzar posiciones de decisión y responsabilidad. Y muchas comenzaron a soñar con proyectos propios y se hicieron emprendedoras.

Las ejecutivas que se desempeñan en empresas y las emprendedoras con proyecto propio tienen las mismas virtudes. Son creativas a la hora de buscar salidas para la crisis.

Vanina Loyato, gerenta de cuentas de AC Nielsen nos dice: "Cuando aparecen las piedras en el camino hay que sacarlas. Si no se puede, hay que inventar nuevos caminos para seguir adelante". Esta ejecutiva, de 30 años, comenzó su camino emprendedor a principios de los 90 cuando su padre se quedó sin trabajo y toda la familia se decidió a cambiar de rumbo. Hipotecaron la casa para comprar un quiosco de diarios, que vendieron tres años más tarde tras hacerlo crecer un 150 por ciento.

"Al margen de mi trabajo en una empresa multinacional, hice una maestría en agronegocios y tengo una idea para llevar adelante un microemprendimiento de esta línea con mi papá", explica. "Creo que siempre hay posibilidades de ir más allá."

En la Argentina, la participación de la mujer en el mercado laboral se destaca en la enseñanza, donde ocupa el 78% de los puestos y en los servicios sociales y de salud, donde tiene el 53% de participación.

Por Laura Ferrarese
Para *La Nación*

Sobre México
Página WEB de la Asociación
de Empresarias Mexicanas

LA NACION LINE

Atrás Adelante Detener Actualizar Página principal Autorrelleno Imprimir Correo

Dirección: **www.adem.com** › Ir

Página inicial de actualidad Apple Computer http://home.netscape.com/apple.adp Soporte de Apple Apple Store Productos para Mac

Favoritos Historial Buscar Álbum Marcador de páginas

Asociación de Empresarias Mexicanas A.C. (ADEM)

○ ADEM se fundó en 1991 en Veracruz, como una ONG, y se afilió a WWB en abril de 1992. Su misión consiste en apoyar a las mujeres de bajos ingresos que no tienen acceso al sistema bancario formal, suministrándoles crédito, ahorros, capacitación y asesoramiento técnico, y desarrolla sus actividades en Veracruz y Boca del Río. Sus clientes son mujeres de bajos ingresos que administran microempresas en los sectores de: manufacturas (8%), servicios (24%) y comercio (68%).

○ Todos los préstamos de ADEM se otorgan directamente a individuos. Ofrece varios tipos de créditos en función de las necesidades de las clientas y de su capacidad de pago, con plazos que oscilan entre 90 días y dos años. A diciembre de 2000 ADEM suministraba capacitación y servicios de desarrollo empresarial a 1 660 clientas y contaba con 666 prestatarias activas y 994 ahorristas activas. ADEM ofrece también a sus clientas seguros de vida y un programa de ahorros; además moviliza ahorros de manera exitosa para financiar un 32% de su cartera de préstamos.

Maritza Rodríguez es la Asistente Ejecutiva de la Presidenta. Tiene como responsabilidad ayudar a la Presidenta a aumentar su efectividad y establecer prioridades. Maneja la agenda de la Presidenta y desarrolla e implementa sistemas para asegurar una efectiva comunicación y ejecución de actividades de la Presidenta con respecto a una amplia gama de personas, particularmente cuando ésta está de viaje. La Sra. Rodríguez es además responsable de coordinar los acuerdos con la Junta Directiva y el Comité Ejecutivo de WWB.

○ Antes de integrarse en WWB la Sra. Rodríguez trabajó en Princeton University, investigando y analizando la política socioeconómica de los países andinos. Ha trabajado como consultora para varias organizaciones gubernamentales y no gubernamentales de Perú, Ecuador, Etiopía, Puerto Rico y los Estados Unidos y ha realizado pasantías en el Secretariado de Naciones Unidas en Nueva York, en la División Internacional de la Cámara de Comercio de EE.UU. en Washington D.C. y en el Santander National Bank en Puerto Rico.

Zona de Internet

Explica a tu compañero las ideas importantes del artículo que has leído.

Señalad el vocabulario que os parezca diferente o propio del país al que pertenece el artículo que habéis leído; escribidlo en la pizarra. ¿Cómo se diría en español?

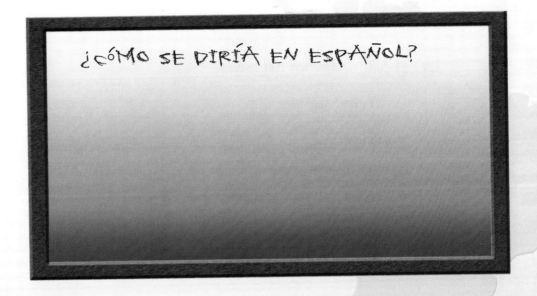

¿CÓMO SE DIRÍA EN ESPAÑOL?

Mujeres empresarias y emprendedoras.

- **¿Por qué creéis que Rodrigo Dos Santos está interesado en investigar la información y a sus protagonistas? ¿Os parece interesante?**

- **¿Creéis que la situación de la mujer en puestos de responsabilidad es la misma en los países hispanos que en los vuestros? Si pensáis que no, ¿a qué se debe?**

- **¿Lo consideráis positivo o negativo?, ¿debe cambiar?, ¿cómo se podría mejorar?**

Editorial Edinume

Buscar esta frase:

En esta unidad aprendes a...

Inicio   Busca   Cesta   Pedir   Normas   Contact

Métodos

■ Hablar de hechos del futuro

Temas de E

Dentro de dos años el comercio electrónico mundial llegará a los 6,8 billones de dólares.

Español Fines Específicos

■ Hablar de hechos probables

Autoaprendizaje

Podría llegar a confundir al visitante.

Lengua y Literatura

■ Dar recomendaciones y consejos (1)

Yo que tú, combinaría...
Yo, en tu lugar, hablaría...
Yo creo que sería mejor...

Cultura y Civilización

Didáctica

■ Expresar opinión

Desde mi punto de vista...
Es interesante lo que dices, pero creo que...

Material Com

■ Pedir aclaraciones o explicaciones (sobre una situación o un documento)

¿Puedes / Puede entrar en más detalle sobre el punto...?
¿Podría aclararme...?
¿Podrías explicarme qué quiere decir...?

■ Llamar la atención sobre una parte del discurso

Me interesaría destacar...
Nos fijaremos ahora en...
Quiero centrarme a continuación en...

Bienvenidos a
Edinumen.es

Curso de español de los negocios
En equipo.es 2

Edi

www.edinumen.es

unidad 2

Punto.com

1. Las previsiones para España

1.1. Lee las siguientes noticias.

La mujer española y las nuevas tecnologías

*Un estudio realizado por la consultora IDC afirma que España **será** el segundo país en Europa (justo después de Francia) que **tendrá** más profesionales femeninas de este sector, compuesto mayoritariamente por hombres.*

Dentro de dos años, un 9% de la población femenina **se dedicará** en España al sector de las nuevas tecnologías. Una cifra enormemente positiva si se compara con la de hace dos años: sólo un 5,6% de los ingenieros en red eran mujeres. Francia **irá** a la cabeza del Viejo Continente, según este estudio elaborado por IDC, con un 12,4% de mujeres trabajando en este ámbito.

El motivo que cita el estudio, como la causa de este escaso interés de las mujeres ante estas profesiones, es la imagen excesivamente tecnicista que ofrece el sector de las tecnologías de la información.

BT ofrecerá servicios "B2B" en España con la plataforma *Commerce one*

*Estos servicios son fruto de la alianza que las compañías firmaron hace dos años y **entrarán** en vigor el próximo otoño.*

La operadora británica BT **hará** el lanzamiento de servicios de comercio electrónico entre empresas (B2B) en España con la plataforma de Commerce One para la optimización de los procesos de gestión de compras de las compañías a través de Internet, según informó la empresa.

La nueva oferta, que **se pondrá** en marcha en España a partir del próximo otoño, contempla servicios para la gestión de compras, de subastas, acceso a ignitemarketplace.net, así como los servicios de centro de llamadas que **darán** soporte a los usuarios de las aplicaciones.

Textos adaptados de *www.idg.es/computerworld/*

1.2. Observa los verbos señalados en rojo, ¿en qué tiempo están?

1.3. Relaciona cada forma con su infinitivo y la persona gramatical.

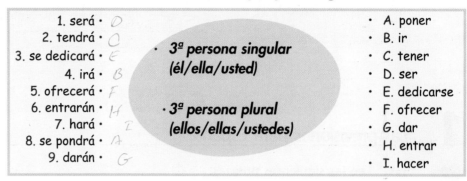

1. será · *D*	• A. poner
2. tendrá · *C*	• B. ir
3. se dedicará · *E*	• C. tener
4. irá · *B*	• D. ser
5. ofrecerá · *F*	• E. dedicarse
6. entrarán · *H*	• F. ofrecer
7. hará · *I*	• G. dar
8. se pondrá · *A*	• H. entrar
9. darán · *G*	• I. hacer

· **3ª persona singular** (él/ella/usted)

· **3ª persona plural** (ellos/ellas/ustedes)

1.4. ¿Cuáles creéis que son irregulares? Completad la siguiente tabla con los verbos del ejercicio anterior.

Futuro imperfecto

Verbos **regulares**	Verbos **irregulares**

1.5. Toda la clase, pensad en la forma de futuro imperfecto de otros verbos y añadidlos a la tabla anterior.

Irregulares

Añaden una -d-:
- Tener ➡ Yo tendré, tú tendrás...
- Venir ➡ Yo vendré, tú vendrás...
- Poner ➡ Yo pondré, tú pondrás...
- Salir ➡ Yo saldré, tú saldrás...

Eliminan una -e-:
- Saber ➡ Yo sabré, tú sabrás...
- Poder ➡ Yo podré, tú podrás...
- Haber ➡ Yo habré, tu habrás...
- Querer ➡ Yo querré, tú querrás...

Completamente irregulares:
- Decir ➡ Yo diré, tú dirás...
- Hacer ➡ Yo haré, tú harás...

1.6. Observa la siguiente tabla. Complétala individualmente.

	Yo	Tú	Él/ella/ usted	Nosotros/as	Vosotros/as	Ellos/ellas/ ustedes
Trabajar		Trabajarás			Trabajaréis	
Tener	Tendré			Tendremos		
Ponerse	Me pondré					
Ofrecer						Ofrecerán
Ir			Irá			
Hacer				Haremos		

2. Las previsiones para el mundo

2.1. Escucha el siguiente resumen de noticias radiofónicas. ¿De qué temas se habla?

[7]

	Noticia	Tema
1	Paíse Pacíficos	internauta más importante del mundo
2		
3		
4		
5		

2.2. Vuelve a escuchar el resumen de noticias radiofónicas. Completa los espacios.

► El próximo año, la región Asia-Pacífico *(1)* .... un 37% del total mundial de internautas.

► Próximamente, las ventas de música en MP3 u otros formatos similares *(2)* .... los 26 millones de dólares frente a los 3,3 millones del año pasado.

► Dentro de dos años, el comercio electrónico mundial (incluidos B2B y B2C) *(3)* .... a los 6,8 billones de dólares.

► Durante los próximos tres años, el mercado B2B europeo *(4)* .... 900 millones de euros. Los *market-places* se *(5)* .... el 6% de esta cantidad.

► Y en el reportaje, Nuria Lledó, directora general de MMXI Europe España, ha afirmado que "las .com españolas *(6)* .... dentro de 5 años, los problemas que tienen hoy en EE.UU."

Esto ha sido todo por hoy. Ya saben, nuestra próxima cita *(7)* .... en 7 días. Les esperamos el próximo jueves, aquí, en Radio Punto COM.

2.3. Lee atentamente las noticias y señala las expresiones que te indican que estamos hablando del futuro.

Ejemplo: el próximo año

• el próximo año

2.4. Lee las siguientes afirmaciones relacionadas con el futuro de Internet. Señala cuál es tu opinión.

	A corto plazo (3 años)		A largo plazo (10 años)	
	verdadero	falso	verdadero	falso
1. Las empresas "punto.com" contratarán preferentemente mujeres para sus puestos directivos por ser las mejor preparadas.	☐	☐	☐	☐
2. El pago con tarjeta de crédito será completamente seguro.	☐	☐	☐	☐
3. Internet dejará de ser gratis, ¡pagaremos por la información!	☐	☐	☐	☐
4. En B2C, el sector turístico será el líder.	☐	☐	☐	☐
5. La mayoría de accesos a la red se hará mediante el teléfono móvil.	☐	☐	☐	☐
6.	☐	☐	☐	☐
7.	☐	☐	☐	☐

2.5. Añade a la lista anterior tus propias previsiones.

2.6. En grupos de tres, comentad vuestras opiniones y argumentadlas.

Recuerda que en español, para expresar y pedir opinión, y para pedir aclaraciones, puedes usar los siguientes recursos lingüísticos. (Encontrarás otros en las unidades 3, 6, 7 y 8 de *En equipo.es, Nivel elemental*).

Para expresar y pedir opinión:

- *En mi opinión,...*
- *Desde mi punto de vista,...*
- *Es interesante lo que dices / dice, pero creo que...*
- *A ver qué te parece...*

Para pedir aclaraciones

- *No he entendido tu /su punto de vista, ¿puedes /puede repetir, por favor?*
- *¿Te /Le importa explicar un poco más tu /su idea sobre...?*
- *¿Puedes /Puede entrar en más detalle sobre el punto...?*
- *¿Podría aclararme...?*
- *¿Podrías explicarme qué quiere decir...?*

3. El diseño de una *web*

3.1. ¿Conoces las palabras que describen una *web*?
Toda la clase intentad explicar el significado de las siguientes palabras.
Si conocéis más palabras, añadidlas y explicadlas a vuestros compañeros.

enlace

buscador

banda ancha

- - - - - - - - - - -

- - - - - - - - - - -

dirección

ventana

portal

3.2. Observa las siguientes
páginas *web*.

[8]

Pablo Fernández, Marta Sanjuán e Inés Andújar, directores de producto IMAGENWEB, están comentando las páginas *web* que han diseñado sus equipos para tres empresas españolas.

Escucha los diálogos e identifica cada uno de ellos con la empresa de la que hablan.

Empresa	Unipapel	Ya.com	Trident
Diálogo			

3.3. Ahora lee los diálogos. Fíjate en los fragmentos en rojo.

Diálogo 1

Pablo F.: ¿Qué os parece si empezamos por el proyecto de Marta?

Inés A.: Sí, muy bien. Marta, para mí tiene una dificultad visual: tanto color azul... y la utilización del rojo y, no sé...

Marta S.: Ya te entiendo, sí claro, pero es un color corporativo que los compradores asocian a "fresco".

Inés A.: Ya pero, yo cambiaría el color del fondo, pondría otros azules más suaves, yo que tú, combinaría colores azules en toda la página.

Marta S.: Buena idea, y una pregunta, ¿vosotros usaríais la fuente Comic Sans?

Pablo F.: Yo no, ya sabes que a mí me gusta utilizar un solo tipo de fuente, yo escribiría la información con una sola fuente.

Marta S.: Muy bien.

Inés A.: ¿Qué lenguaje utilizarás?

Marta S.: Hemos pensado en DHTML, el HTML dinámico, pero da problemas con los usuarios que utilizan Netscape, ya veremos... Creo que sería mejor utilizar una programación orientada a compatibilizar el uso entre navegantes.

Diálogo 2

Pablo F.: A mí me gustaría saber vuestra opinión sobre esta página. Tengo problemas, no lo veo claro. Creo que un listado de los productos, ¡tan largo y sin enlaces!, ¡cómo mínimo debería tener alguno de ellos! Esta página no ayudará a nuestro cliente a vender más.

Marta S.: Tienes razón, yo que tú, incluiría enlaces o marcaría las novedades o...

Inés A.: Estoy de acuerdo, sería mejor incluir algún botón visual. Yo en tu lugar, hablaría otra vez con el cliente para saber qué productos quieren destacar en su página.

Diálogo 3

Marta S.: Mis dudas van en dirección contraria a las de Pablo. Desde mi punto de vista, en mi diseño tengo demasiada imagen.

Pablo e Inés: Sí, sí, tienes razón.

Pablo F.: Yo reduciría la información...

Inés A.: Me parece que es una página demasiado ambiciosa y podría llegar a confundir al visitante, hay un exceso de información.

Marta S.: Muy bien. Coincidimos. Bueno, pues seguimos trabajando en los proyectos y nos vemos en la próxima reunión con las novedades. ¿Vale?

Pablo F.: Muy bien.

Inés A.: Perfecto.

Información inspirada en *Web BUSINESS*

Los verbos subrayados en rojo pertenecen al condicional simple.

¿Podrías completar los siguientes cuadros explicativos del condicional?

	Verbo en -AR	*Verbo en -ER*	*Verbo en -IR*
Yo			
Tú			
Él - ella - usted			
Nosotros - nosotras			
Vosotros - vosotras			
Ellos - ellas - ustedes			

Los verbos que son irregulares en la forma de futuro también lo son en la forma condicional; por ejemplo: *poder* en la forma condicional es ....

¿Para qué creéis que se usa la forma condicional en estos diálogos?

....

....

4. Ranking de *webs*

4.1. **Individualmente, piensa en la mejor página** *web* **que conoces.**
Reprodúcela esquemáticamente en el siguiente cuadro. Reflexiona por qué consideras que es la mejor: valora su estética, su contenido, su tecnología...

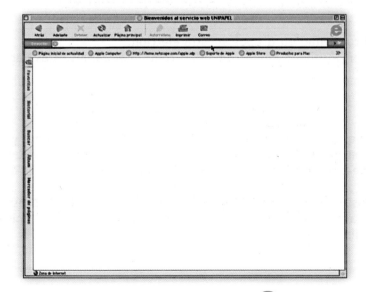

Explicad y comentad en grupos vuestra elección. Después de escuchar a vuestros compañeros, decidid cuál es la mejor y haced una pequeña presentación de esa página *web* al resto de la clase.

- Recuerda lo aprendido en la actividad 2.6. y las herramientas lingüísticas que ya conoces: en *primer lugar*, en *segundo lugar*, o sea, pero, *sin embargo, por último, para finalizar*, es decir... ¡Te ayudarán a hacer mejor tu presentación!

- **Para llamar la atención sobre una parte del discurso, puedes usar:**
  - Me interesaría destacar...
  - Quiero centrarme a continuación en...
  - Nos fijaremos ahora en...
  - Quisiera señalar...

4.2. **Individualmente, piensa en la peor página** web **que has visitado o el peor tipo de** web **que has encontrado en la red.**
Reprodúcela esquemáticamente en el siguiente cuadro. Reflexiona por qué consideras que es la peor: valora su estética, su contenido, su tecnología...

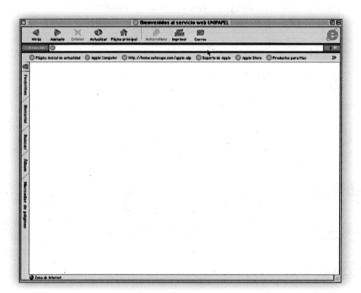

 Explicad y comentad en grupos vuestra elección.
¡Vamos a ser positivos! Ahora comentad como mejoraríais estas páginas:

> Ejemplo: ▶ *Yo eliminaría de la página el buscador, pues es de poca utilidad.*
> ▷ *Yo añadiría movimiento.*

Después de escuchar a vuestros compañeros, decidid cuál es la peor y haced una pequeña presentación de esa página web **al resto de la clase. Incluid cambios que introduciríais en la página** web **para mejorarla.**

Revisa todas las herramientas lingüísticas que has aprendido en esta unidad para hacer presentaciones, argumentar, expresar y pedir opinión... ¡Ánimo, úsalas, tu español mejorará muchísimo!

5. Contrataremos a...

Cómo estar presente en Internet es una duda que acecha a la pyme española. Y más cuando la incorporación de Internet al día a día de la empresa es crucial para su futuro. Preguntas como: ¿quién me presta un mejor acceso a la red?, ¿qué compañía me aloja y gestiona las páginas web de mi empresa?, ¿cuántos correos electrónicos necesita mi compañía? o ¿cuál es la mejor tarifa plana para las necesidades de mi empresa?, son cruciales a la hora de comenzar la andadura en Internet.

5.1. **Trabajad por parejas: Alumno A y Alumno B.**

Alumno A: trabajas en el departamento comercial de Telefónica Data. Hoy visitas al Señor Oriol, propietario de una empresa familiar del sector de la óptica situada en Barcelona que tiene Internet pero quiere incorporarla al día a día de su empresa y utilizar los recursos que ofrece este canal en su negocio. Lee atentamente la información sobre Telefónica y prepara una presentación de tu producto.

Antes de empezar tu presentación piensa en las herramientas lingüísticas de la actividad 4.1.

Telefónica Data

Conexión a Internet

□ *Aplicaciones*

➤ Acceso rápido y económico a toda la información y los servicios contenidos en Internet.

➤ Correo electrónico.

➤ Noticias electrónicas (News).

➤ Transferencia de ficheros.

➤ Presencia en Internet, proporcionando servicios a sus usuarios como:

  – Distribución de información comercial y de marketing.

  – Publicidad.

  – Acceso a bases de datos.

  – Comercio electrónico.

  – Acceso a Internet desde la red local del cliente. Permite al usuario comunicación bidireccional desde su red local hacia otro usuario conectado en modo permanente y abierto a Internet.

  – Servicios de atención al cliente.

Conexión a Internet

☐ *Ventajas*

➤ Coste fijo mensual, lo que le permitirá controlar y planificar los costes.

➤ Alta calidad de acceso.

➤ Cobertura nacional completa y gran capacidad de conexión internacional.

➤ Servicio de atención al cliente 24 horas al día los 365 días del año.

☐ *Contratación*

➤ Tarifa plana.

➤ Altas temporales (eventos especiales, ferias, congresos...).

➤ Opciones adicionales:

– Back-up vía RDSI: 64 Kbps, válido para velocidades de 256 Kbps.

– Compra o alquiler de router con posibilidad de gestión.

Para más información llame al 902 230 280.

☐ *Ficha técnica*

El servicio Conexión a Internet proporciona:

➤ Conexión Frame Relay gestionada.

➤ Velocidad de línea: 64 Kbps-34Mbps.

➤ Caudal bidireccional (CVP Frame Relay): 8 Kbps-20 Mbps.

➤ Facilidades de valor añadido:

– Servidor DNS primario y secundario.

– Back-up de acceso vía RDSI.

– Back-up de servidor de correo.

– Registro de direcciones IP y de dominios.

Alumno B: trabajas en el departamento comercial de Ignite BT. Hoy visitas al Señor Oriol, propietario de una empresa familiar del sector de la óptica situada en Barcelona que tiene Internet pero quiere incorporarla al día a día de su empresa y utilizar los recursos que ofrece este canal en su negocio.

Lee atentamente la información sobre Ignite BT y prepara una presentación de tu producto.

Antes de empezar tu presentación piensa en las herramientas lingüísticas de la actividad 4.1.

BTLink es un servicio de acceso a Internet (RTC o RDSI) a través de la red IP de BT Ignite con ancho de banda garantizado.

BTLink está dirigido a profesionales y a pequeñas y medianas empresas (PYMES).

Este servicio le ofrece:

- Seis direcciones de correo electrónico con uno de los siguientes formatos:
  Dominio BTLink: **nombredelusuario@btlink.net**
  Subdominio del tipo: **nombre@miempresa.btlink.net**
  Dominio propio opcional: **nombre@miempresa.com**
- Buzones de capacidad ilimitada.
- Protocolo de consulta POP3 o IMAP.
- Espacio para página web de 20 Mb, para crearse sus propias páginas.
- Cuenta **FTP** para transferencia de ficheros.
- Acceso a grupos de **Noticias** y "**Chat**".
- Alta gratuita en buscadores nacionales e internacionales.

Servicios adicionales de BTLink

Dominio Propio

- Direcciones de correo electrónico y página web con dominio propio. Correo: usuario@miempresa.com; Dirección web: www.miempresa.com.
- Registro de los dominios en las organizaciones oficiales (.com, .org, .net, .es).
- Mantenimiento y hospedaje del DNS (Domain Name Server).
- Servicio de consultoría para creación y mantenimiento del web corporativo.
- Estadísticas e informes del uso de la web.

Servidor Proxy

- Software de **Simedia**.
- Acceso simultáneo de varios usuarios desde una red local con una única conexión.
- Precio especial para clientes de BTLink.
- Soporte técnico.

Servidor de Correo

- Software de **Simedia.**
- Permite a las empresas disponer de su propio servidor de correo interno.
- Precio especial para clientes de BTLink.
- Fácil de configurar.
- Soporta: POP3 e IMAP4.
- Alias.

Rutado de Correo electrónico

- Este servicio le permite enviar y recibir correo externo a través de las cuentas creadas con el servidor de correo de su empresa. Está pensado para los clientes de BTLink que disponen de servidor de correo y dominio propios.
- Si va a estar fuera de su empresa, podrá definir "agentes libres", para consultar el correo desde cualquier sitio.

Rutado web

Desvíe las visitas a su dominio a su propio servidor. Benefíciese así de la velocidad de BTLink y de la flexibilidad de gestionar su servidor web.

IP Fija

Disponga de un servidor de web o de correo siempre visible en Internet, y obtenga otras importantes ventajas conectándose a través de una dirección IP de uso exclusivo.

5.2. Después de vuestras presentaciones...
Ahora conocéis las dos empresas: Telefónica Data e Ignite BT. Sabéis cuáles son y sus servicios, ventajas, etc.
Imaginad que sois el Sr. Oriol y su gerente: ¿A qué empresa contrataríais?

6. Dudas sobre Internet

[9]

6.1. El Sr. Oriol y el gerente de la empresa han reflexionado, comentado... y tienen algunas dudas, así que el gerente llama a las dos compañías, Telefónica Data e IgniteBT para aclarar algunas cuestiones.
Lee las siguientes afirmaciones, escucha las conversaciones y decide si son verdaderas o falsas tales afirmaciones.

Telefónica

	verdadero	falso
1. Internet es gratis. *Tarifa plana*		✓
2. Con Telefónica es gratuito dar de alta el dominio. *es*	✓	
3. El cliente puede tener un *router* propio.	✓	
4. Para tener acceso a Internet es necesario tener un nombre de dominio. *línea de acceso un servidor*		✓

BT Ignite

	verdadero	falso
1. Sólo podrá configurar la conexión con el CD.		
2. Después de darse de alta debe esperar 12 horas.		
3. Actualmente ya puede conectarse con el extranjero.		
4. La conexión con RDSI puede ser a 28K.		

6.2. Pensad ahora cuáles creéis que son las dudas que se tienen sobre...

Los virus:

FAQS:

El servidor:

La seguridad de pago:

Telefonía móvil e Internet:

Otras preguntas:

6.3. Toda la clase.
Busca entre tus compañeros la respuesta.

Para preguntar:

- *¿Sabes algo sobre...?*
- *¿Podrías explicarme qué quiere decir...?*
- *¿Tienes idea de lo que quiere decir...?*
- *¿Qué quiere decir...?*

7. Preposiciones

Completa las frases con las preposiciones adecuadas.

> **en-con** • **en-a** • **Desde-en** • **en-de** • **Con-de**

1. Se pondrá .... marcha en España .... partir del próximo otoño.

2. Los inversores invertirán .... las empresas "punto.com" .... confianza.

3. Nos fijaremos ahora .... el servicio .... atención al cliente.

4. .... esta compañía es gratuito dar .... alta el dominio.

5. .... mi punto de vista, ... mi diseño tengo demasiada imagen.

8. Escribe

Convocatoria a una reunión
8.1. Fíjate en la siguiente convocatoria de reunión.

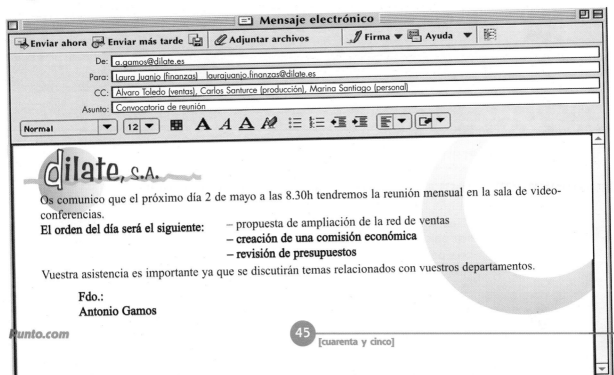

8.2. ¿Cuáles son las partes del texto?

8.3. Escribe un texto para convocar a todos los directivos de tu empresa a una reunión importante.

En el texto debes incluir:

✓ una frase introductoria para convocar a la reunión

✓ el motivo de la convocatoria

✓ los datos (lugar, día y hora)

✓ el orden del día (los puntos que se van a tratar)

✓ la importancia de asistir a la reunión

Éstas son algunas palabras y frases que te pueden ayudar a la hora de redactar este texto. No olvides prestar especial atención al registro del documento (formal o informal).

- Le / te/ os / les comunico que el próximo día...
- Le / te / os / les convoco a la reunión del...
- El motivo de la reunión es para...
- El orden del día será el siguiente...
- Su / tu / vuestra asistencia es importante ya que se discutirán... / hablaremos de...

Las palabras terminadas en – ión llevan tilde.

Ejemplos del texto anterior: reunión, comisión, revisión y creación.

¿Recuerdas otros ejemplos?

....

9. Diferencias culturales

El uso de Internet en mi país: situación actual, cambio de costumbres, tecnología...

9.1. Haz una presentación a tus compañeros sobre la situación de Internet en tu país o en algún país que te interese especialmente. Utiliza tu experiencia personal y busca información en Internet. Algunos buscadores que te pueden ayudar si te falta información son: Terra, Yahoo o Google. ¡Busca siempre la información en español!

9.2. Durante las presentaciones de tus compañeros, toma nota y completa el siguiente cuadro:

País	Datos de Internet en ese país

9.3. Puesta en común: ¿qué conclusiones se pueden extraer de vuestras presentaciones?

10. Lectura

10.1. Lee este texto.

Internet en España: dónde estamos, hacia dónde vamos

Ahora estamos...

Si analizamos los datos del Estudio General de Medios (EGM) vemos que aproximadamente el 20% de los españoles mayores de catorce años ha utilizado alguna vez Internet (más de 6 822 000). Estos usuarios corresponden al 50% de las personas que utilizan el ordenador. El usuario español se conecta a Internet una media de 10 veces por semana. En una sesión se visitan una media de 9 sitios y se visualizan unas 25 páginas. El porcentaje de *banners* que se pulsan es del 0,4%.

El portal por el que más habitualmente se accede a la red (26,6%) es Terra. A continuación se sitúan Yahoo (16,7%) y Ya.com (5,2%.) Si hablamos de publicaciones electrónicas, las más visitadas son *El País* (2 979 000 visitas/mes), *El Mundo* (1 716 000) y *Marca* (1 496 904 visitas /mes).

Vamos hacia...

Se seguirán incorporando más mujeres, niños y personas mayores, que son los colectivos menos conectados en este momento, y crecerá enormemente el uso de Internet a través de terminales alternativos (televisión, teléfono móvil, *webphone*, etc.).

El uso que se hace de la red también cambiará acercándonos a los parámetros de los países más desarrollados, el tiempo de cada sesión en la que estamos conectados se duplicará pasando a ser de cerca de 30 minutos frente a los 17 actuales.

La banca y el turismo serán los sectores que crecerán más, seguidos de los servicios de asesoría y consultoría a través de la red.

Con respecto a los precios, se desarrollarán tres modelos de negocio: el gratuito (financiado por la publicidad o por la obligación de utilizar un servicio específico) dirigido al gran público y con una calidad media baja; el pago de una cantidad fija al mes que va a depender del ancho de banda, del horario y de las prestaciones; y, finalmente, el pago por tráfico (cantidad de información).

Adaptado del artículo "Internet en España: Dónde estamos, hacia dónde vamos" de Miguel Pérez Subías, Presidente de la Asociación de Usuarios de Internet.
WWW.cervantes.es/internet/EspaInte.../CONFERENCIA_MiguelPerezSubias%20.ht

10.2. Marca si las afirmaciones siguientes son verdaderas o falsas.

	verdadero	falso
1. El usuario español se conecta a Internet una media de 100 veces por semana.		
2. Actualmente, el colectivo más conectado son las mujeres.		
3. Los sectores que crecerán más son la banca y el turismo.		
4. Una forma de pago será el pago por tráfico.		

10.3. Puesta en común: ¿Cuál creéis que es el futuro de Internet? ¿Pago o no pago? ¿Libertad o control? ¿Perfil del usuario?

Tarea final

Creación de una página web

1. Aquí tienes información sobre una empresa española y el sector al que pertenece, léela atentamente.

Rumbo

Nombre: Rumbo.es (Red Universal de Marketing y Bookings Online)
Creación: 2000
Sede operativa desde: 2000
Inversores: Terra Networks (50%) y Amadeus (50%)
Facturación: 2700 euros
Usuarios registrados: 15 000
Empleados: 50

¿Quién es?

- Ignacio Martos, director general.
- Cordobés.
- Licenciado por la universidad de Sevilla y MBA por IESE-Universidad de Navarra.
- Empezó su andadura en el sector del turismo en Barceló Viajes, donde ocupó el cargo de subdirector general entre 1988 y 2000.

Rumbo ofrece:

Tanto a las empresas como a usuarios finales, servicios y productos que van desde la reserva de billetes de avión hasta alojamiento o alquiler de coches hasta paquetes vacacionales.

Rumbo se dirige a dos tipos de usuarios:

Al *booker*, o comprador, que sabe lo que quiere, y al *looker*, o investigador, comprador en potencia que necesita ideas para planificar viajes.

Rumbo y el cliente empresarial: las empresas son el 50% de sus ingresos.

Para las grandes empresas: Rumbo Corporate, una herramienta de gestión que permite a los empleados de la empresa contratante reservar sus viajes de trabajo desde su ordenador. Diseñan para cada organización su propio portal de viajes, con su URL particular, el empleado pide su desplazamiento sin necesidad de autorización y así se ahorra tiempo en la preparación de viajes y se mejora el control y la gestión del proceso que puede derivar en un reducción de los costes de hasta un 15%. Ahora son ya sus clientes Terra y la multinacional de pinturas industriales Akzo Nobel.

Para la PYMES: Corporate Pymes, que aparecerá próximamente para compañías con una inversión anual inferior a los 601 000 euros, es un producto en que se ofrecerán tarifas corporativas genéricas.

> *"El cliente final se convierte en su propio agente de viajes, capaz de tratar directamente con los proveedores del sector"*
>
> Ignacio Martos, director general de la compañía.

Billetes aéreos: LA GUERRA ONLINE

Durante este año, se venderán a través de Internet el 6% de todos los billetes de avión y, en 5 años, este porcentaje alcanzará un 20%.

A DIÓS AL BILLETE La empresa Rumbo.es cambia el billete de avión tradicional por el *e-ticketing*.

Información extraída de *Webbusiness*

2. **Diseñad en grupos de 3 la página** *web* **de** *Rumbo.es.* **Pensad qué objetivos pretendéis cubrir:**
- cuál será el número de usuarios óptimo para rentabilizar el esfuerzo y la inversión
- qué línea de crecimiento esperáis
- qué servicios iréis añadiendo en el futuro y en qué plazos
- cuál será la influencia de la *web* en la empresa, en qué plazos

3. **Presentad a vuestros compañeros vuestra página, explicad todo lo que la compone: tipo de fuente, colores, partes, etc.**

Vuestros compañeros os preguntarán, si necesitan más información o alguna aclaración. Cada grupo os tiene que sugerir un cambio en el diseño. Para esto, es interesante que expongáis los trabajos en clase con notas adhesivas en las que se indiquen las sugerencias de cada grupo a vuestro trabajo.

Recordad usar los recursos lingüísticos vistos en la unidad.

1

María Delia hizo una primera toma de contacto con el director de marketing de Chilefuego Turismo. Ahora, según las noticias de la prensa especializada, desea reorientar su estrategia.

Hoy María Delia está escuchando los mensajes de su buzón de voz. Éste es el mensaje que dejó ayer Vittorio Desormeaux, director de marketing de Chilefuego Turismo, al que María Delia verá en Santiago de Chile.

Completad el mensaje.
[10]

María Delia, al habla Vittorio Desormeaux, buenos días.

Tenemos gran interés en contactar con ustedes. María Delia, recibimos con gran satisfacción su idea.

Como ya sabrá, en el plan de *(1)* .... y crecimiento de nuestra empresa planeamos orientarnos hacia los navegantes de Internet. Nuestros inversionistas nos piden crecimiento y una reorientación hacia el B2B.

Estamos en contacto con ENTEL para todo el soporte tecnológico como *(2)* ...., *(3)* .... etc., nuestro deseo sería tener un portal de turismo propio, pero también ofreceremos programas de formación y, mediante el servicio de ENTEL TECNOEMPRESA, nuestros clientes obtendrán conexión al sitio www.cursosonline.cl, para bajar el curso "Administrando su empresa" y un 20% de descuento en los cursos dictados por la facultad de Ciencias Económicas y Administrativas de la Universidad de Chile, en su programa para empresas.

Ustedes podrían ser nuestra puerta de entrada en otros mercados y nosotros su puerta de entrada a nuestro país.

Las cifras oficiales son *(4)* .... interesantes; se estima un crecimiento del 3% para este año, lo cual se ve ratificado por el Banco de Santander que *(5)* .... un 2,9%. *(6)* ...., importantes economistas prevén otra *(7)* .... de la tasa de interés.

Espero noticias suyas para organizar la agenda de su viaje.

Un saludo cordial.

Información extraída de www.123.cl.merconet/comunidad /noticias/ www.entel.cl

2

Ésta es la información que completa el mensaje de Vittorio. Corrige el ejercicio anterior.
¿Lo dirían igual en España?, ¿qué posibilidades se os ocurren?

Términos de Vittorio

1.	• mejoramiento	• ....
2.	• el equipamiento computacional	• ....
3.	• el arriendo de equipos	• ....
4.	• bien	• ....
5.	• proyectó	• ....
6.	• en otro orden	• ....
7.	• baja	• ....

3

[11]

María Delia contesta y deja también un mensaje.
Fíjate en el acento, pronunciación… de María Delia, ¿dirías que son muy diferentes a los de Vittorio? Si es necesario, vuelve a escuchar el mensaje de Vittorio.

4

¿Sabes que…?

María Delia está navegando por Internet y ve esta página *web* de Chile.

¿Sabes…?

1. ¿Qué clase de gobierno tiene Chile?

2. ¿Qué lengua se habla en Chile?

3. ¿Puede un enchufe eléctrico funcionar en Chile?

4. ¿Se validan qué tarjetas de crédito y los cheques de hojas de ruta *traveler*?

5. ¿Cuáles son las horas de actividad bancaria?

6. ¿Cuáles son los días de fiesta nacionales en Chile?

7. ¿Cómo hago contacto con la tarjeta turística nacional?

8. ¿Cuál es el horario en que funciona el comercio en Chile?

Recursos humanos: un entorno legal

En esta unidad aprendes a...

■ **Dar recomendaciones y consejos (2)**

No recurra a su abogado para…
No mandes un currículum a una empresa que no te gusta.
Para buscar empleo, dirígete a…

■ **Explicar los pasos para realizar un proceso: dar instrucciones**

Primero, concierta/concierte una cita con…
Mientras, tienes/tiene que…

■ **Reformular para aclarar un concepto**

¿"El sistema de clasificación vigente" significa `actual´, es decir, el sistema de clasificación que existe en esos momentos en la empresa?
No sé si lo he entendido bien, ¿lo que quiere/quieres decir es que…?

■ **Plantear supuestos**

Si viajo durante el fin de semana, ¿tengo derecho a alguna compensación temporal?
Si el cambio del lugar del centro del trabajo implica cambio de residencia del trabajador, entonces…

■ **Expresar hipótesis**

Ésta debe de ser la cartilla de la Seguridad Social.

unidad
3

Recursos humanos: un entorno legal

1. Empieza la actividad profesional

1.1. Angelines Asensio Romo ha realizado varias entrevistas de trabajo y está esperando respuesta. Antes de escuchar la conversación telefónica, leed las notas tomadas por Angelines y relacionadlas con los documentos que tenéis a continuación.

> ME HAN PEDIDO PARA EL TRABAJO
>
> - DNI
> - Cartilla y tarjeta de la Seguridad Social
> - Tarjeta INEM
> - N.º cuenta banco
> - Carné de conducir

Ejemplo:

▶ Éste es el DNI, mira, "Documento Nacional de Identidad".

▷ Sí, y ésta debe de ser la cartilla de la Seguridad Social.

1.2. [12] Escucha la conversación telefónica entre Angelines y la Jefa de RR.HH. de *Mueble y Confort*. **Completa con infinitivo las siguientes frases:**

○	para concertar la cita.
○	el número de cuenta para realizar la transferencia.
○	los documentos para firmar el contrato.
○	su DNI.
○	la cartilla de la Seguridad Social.
○	la tarjeta del INEM actualizada.

1.3. [12] Escuchad de nuevo la conversación y numerad las frases anteriores según el orden de aparición en la conversación.

1.4. Completad ahora el siguiente párrafo. Imaginad que Marina Gil es amiga de Angelines Asensio y la conversación, claro, transcurre tratándose de tú.

Marina: Los pasos que tienes que seguir son los siguientes. Vas a recibir un telegrama confirmando la selección. En ese momento, *(1)* _____ para concertar la cita. Mientras, *(2)* _____ los documentos que vamos a necesitar para la firma del contrato. *(3)* _____ tu DNI y *(4)* _____ _____ la cartilla de la Seguridad Social.

Angelines: Estoy recibiendo la prestación por desempleo. ¿Tengo que llevar algún papel del INEM?

Marina: Sí. Si es así, *(5)*_____ la tarjeta del INEM actualizada. Ah, *(6)*_____ _____ el número de cuenta para el ingreso de la transferencia.

Para explicar los pasos que tiene que seguir Angelines Asensio en la contratación se ha usado el imperativo en esta conversación. Fíjate en las formas para las personas *tú* y *vosotros, usted* y *ustedes.*

Llamar		Leer		Escribir	
llama tú	no llames	lee tú	no leas	escribe tú	no escribas
llamad vosotros	no llaméis	leed vosotros	no leáis	escribid vosotros	no escribáis
llame usted	no llame	lea usted	no lea	escriba usted	no escriba
llamen ustedes	no llamen	lean ustedes	no lean	escriban ustedes	no escriban

2. ¿Qué le recomiendas?

2.1. Señala en la siguiente lista cuáles son tus recomendaciones para un amigo que te pregunta por estos temas:

Una carta de presentación...

- ☐ Escríbela a mano.
- ☐ Personalízala para cada empresa.
- ☐ Elige un papel de color diferente al usado para el currículum.

Un currículum...

- ☐ Mándalo por correo postal.
- ☐ Entrégalo en mano.
- ☐ Envíalo por correo electrónico.

Dónde buscar empleo...

- ☐ Dirígete a las empresas que te gustan, aunque no necesiten personal.
- ☐ Selecciona los anuncios que te interesan del periódico.
- ☐ Busca y mueve tus contactos.

Cómo vestirte en la primera entrevista...

- ☐ Vístete como en un día cualquiera.
- ☐ Abre tu armario y ponte lo que más te gusta.
- ☐ Cómprate algo nuevo, elegante pero informal.

2.2. Añadid otras recomendaciones a las señaladas.

> Los pronombres van detrás del imperativo.

Subraya los pronombres que van con el imperativo.

2.3. Tu amigo está lejos de tu ciudad y le escribes un correo electrónico para indicarle lo que le recomiendas y lo que le desaconsejas para buscar empleo.

> En la forma negativa del imperativo, los pronombres se colocan delante del verbo:
> - No lo mandes por correo postal.
> - No te dirijas a las empresas que no te gustan.

> Aquí tienes algunas referencias temporales para ayudarte:
> - **en ese momento**
> - **después de**
> - **justo entonces**
> - **durante**
> - **antes de**
> - **en el transcurso de**

Ejemplo: **Antes de** ponerte a buscar empleo, piensa seriamente qué quieres hacer. **Después de** una semana o dos de reflexión, decídete y **justo entonces** empieza a buscar, no antes.

3. Un contrato de trabajo

3.1. A continuación te presentamos un modelo de contrato de trabajo por tiempo indefinido. Escribe al lado de cada sigla su significado. Aquí tienes una ayuda.

- *Número de Identificación Fiscal* [para personas]
- *Código de Identificación Fiscal* [para empresas]
- *Seguridad Social*

Documento extraído de www.inem.es

CONTRATO DE TRABAJO POR TIEMPO INDEFINIDO

MINISTERIO DE TRABAJO
Y ASUNTOS SOCIALES
Instituto Nacional de Empleo

Código de contrato

Sello de registro del Servicio Público de Empleo

Tiempo completo: | 1 | 0 | 0 |

Tiempo parcial: | 2 | 0 | 0 |

DATOS DE LA EMPRESA *(a)* → CIF/NIF

(b) → D/D.ª | NIF | En concepto (1)

Nombre o Razón Social de la Empresa | Domicilio Social | *(c)* →

País | | Municipio | | C. P. |

DATOS DEL/DE LA TRABAJADOR/A

D/D.ª *(d)* | NIF | Fecha de nacimiento

N.º afiliación a S.S. *(e)* | Nivel formativo | | Nacionalidad

Municipio del domicilio | | País domicilio

Con la asistencia legal, en su caso, de D/D.ª...........................
.............................N.I.F..............................., en calidad de (2)...........................

a. CIF / NIF:

b.

c.

d.

e.

3.2. Leed el resto del documento en voz alta, es decir, la parte que dice "declaran" y las "cláusulas". Aclarad vuestras dudas con el profesor.

DECLARAN

Que reúnen las condiciones necesarias para celebrar el presente contrato de trabajo y por tanto acuerdan formalizarlo con arreglo a las siguientes:

CLAUSULAS

<u>Primera:</u> El/la trabajador/a prestará sus servicios como (3) ....
incluido en el grupo profesional/categoría/nivel profesional de ....de acuerdo con el sistema de clasificación profesional vigente en la empresa, en el centro de trabajo ubicado en..

<u>Segunda:</u> La jornada de trabajo será:

☐   **A tiempo Completo**: la jornada de trabajo será de .... horas semanales, prestadas de .... a
          .... con los descansos que establece la Ley.

☐   **A tiempo Parcial**: la jornada de trabajo ordinaria será de .... horas: Al día ☐ A la semana ☐ Al mes ☐ Al año ☐
          siendo la jornada inferior a (marque con una X de que corresponda):

   ☐   La de un trabajador a tiempo completo comparable.
   ☐   La jornada a tiempo completo prevista en el Convenio Colectivo de aplicación.
   ☐   La jornada máxima legal.
     Que es de .... horas (4)

     La distribución del tiempo de trabajo será ....
     ....

<u>Tercera:</u> En el caso de jornada a tiempo parcial señálese si existe o no pacto sobre la realización de horas complementarias (5):
        SI ☐   NO ☐

<u>Cuarta:</u> La duración del presente contrato será INDEFINIDA, iniciándose la relación laboral en fecha...........................
y se establece un período de prueba de(6)...

<u>Quinta:</u> El/la trabajador/a percibirá una retribución total de ....
que se distribuirán en los siguientes conceptos salariales(8)..................................euros brutos (7)...........................

<u>Sexta:</u> La duración de las vacaciones anuales será de (9)...

<u>Séptima:</u> En lo no previsto en este contrato se estará a la legislación vigente que resulte de la aplicación y particularmente a lo
dispuesto en el Texto Refundido del Estatuto de los Trabajadores y en especial el artículo 12, según la redacción dada por el R.D.
15/98 modificado por el artículo primero de la Ley 12/2001, de 9 de julio (B.O.E. De 10 de julio) y en el Convenio colectivo de...........
....

<u>Octava:</u> El contenido del presente contrato se comunicará al Servicio Público de Empleo de ....,
en el plazo de los 10 días siguientes a su concertación.

<u>Novena:</u> Ambas partes se comprometen a comunicar el fin de la relación laboral a los Servicios Públicos de Empleo cuando éste se
produzca, de conformidad con lo establecido en el artículo 42.3 de la Ley 51 /1980, de 8 de Octubre, Básica de Empleo.

CLAUSULAS ADICIONALES

Y para que conste se extiende este contrato por triplicado en el lugar y fecha a continuación indicado, firmando las partes
interesadas.

En..a.................de...................................de 2003....................

El/la trabajador/a   El/la representante   El/la representante legal del
                           de la empresa.   menor, si procede

(1) Director/a Gerente, etc.
(2) Padre, madre, tutor/a o persona o institución que le/la tenga a su cargo.
(3) Indicar la profesión
(4) Indique el número de horas que corresponde a la jornada a tiempo completo ,sólo en caso de solicitar subvenciones establecidas en la O.M. 15-07.99 (B.O.E. de 31 de julio)
PE/170
(5) Señálese lo que procede, y en caso afirmativo, adjunte el anexo si hay horas complementarias.
(6) Habrá de respetarse, en todo caso, lo dispuesto en el art. 14.1 del Texto Refundido de la Ley del Estatuto de los Trabajadores, aprobado por Real Decreto Legislativo
    1/1995, de 24 de marzo (B.O.E. de 29 de marzo).
(7) Diarios, semanales, mensuales.
(8) Salario base, complementos salariales, pluses.
(9) Mínimo: 30 días naturales.

Si necesitas comprobar que has entendido bien un concepto, puedes intentar explicarlo introduciéndolo con los siguientes recursos:

..., es decir,...

... lo que quiere decir es que...

Ejemplo:

- ¿"El sistema de clasificación vigente" significa 'actual', es decir, el sistema de clasificación que existe en esos momentos en la empresa?

- No sé si entiendo bien la cláusula dos, ¿lo que quiere decir es que...?

Los contratos pueden ser *indefinidos* (es decir, fijos) o bien tener una *duración determinada* (es decir, temporales). Hay diferentes modalidades de contratación, por ejemplo, *de formación, en prácticas, para la realización de una obra o servicio determinado,* etc. En cualquiera de los casos, en las oficinas del INEM te aclaran las dudas o procedimientos legales de contratación. La dirección es http://www.inem.es

3.3. **¿Con qué datos se completaría un contrato como éste en tu país? Pregunta a tus compañeros.**

Nombre	
Nacionalidad	
Jornada completa semanal	
Vacaciones anuales	

4. La firma del contrato

4.1. **Pensad en el modelo de contrato que acabáis de ver.**
Dividid la clase en dos grandes grupos, A y B, y, dentro de cada grupo, formad parejas.

El grupo A, piensa y escribe las preguntas que Angelines puede formular en la firma del contrato.

El grupo B, concreta la oferta de trabajo y la expresa por escrito (es decir, piensa en la respuesta a las preguntas que Angelines puede hacer a la firma del contrato).

Las siguientes expresiones pueden serviros de orientación a un grupo y a otro.

- ✔ duración del periodo de prueba
- ✔ jornada laboral
- ✔ flexibilidad de horario
- ✔ periodo vacacional
- ✔ derechos
- ✔ existencia de un convenio colectivo
- ✔ promoción profesional
- ✔ deberes que contrae

Para plantear supuestos:

- **Si** una tarde tengo que salir, ¿puedo recuperar ese tiempo durante la semana?
- **Si** viajo durante el fin de semana, ¿tengo derecho a alguna compensación adicional?

La estructura que te proponemos es:

$$\textbf{Si} + \text{presente de indicativo} + \begin{cases} \text{presente de indicativo} \\ \text{futuro imperfecto} \\ \text{imperativo} \end{cases}$$

4.2. **Vuestro profesor va a recoger una copia del trabajo de cada uno. Después, los estudiantes del grupo A tienen que buscar la mejor oferta de trabajo del grupo B. Para eso, tendréis que simular que estáis en la firma del contrato. Los alumnos del grupo A eligen a sus empresarios.**

Los estudiantes del grupo B que consigan más trabajadores, serán nombrados "Grupo empresarial favorito, S.L. de *En equipo.es 2"*.**

Recordad que vuestro profesor tiene copia de vuestras propuestas, así que no podéis cambiar la información para conseguir más trabajadores.

4.3. **El grupo empresarial ganador expone sus tácticas y resultados al resto de la clase.**

5. Calcular la nómina

5.1. **Responded a las siguientes preguntas:**

- – ¿Cuántas pagas anuales hay en vuestro país?
- – ¿Qué tipo de deducciones hay en una nómina habitualmente?
- – ¿Cuál es el salario mínimo interprofesional?

5.2. Observa la siguiente nómina. En ella tienes la respuesta a la segunda pregunta planteada en 5.1. (deducciones). Fíjate también en el desglose total de la nómina.

EMPRESA			DOMICILIO			N.º INSCRIPCION S.S.	
EDINUMEN, S.L.			Piamonte, 7			2710401532-68	

TRABAJADOR				CATEGORIA	N.º MATRIC.	ANTIGÜEDAD	D.N.I.
Adrián Jimeno Gil				Maquet.		10-02-98	51430158-W

N.º AFILIACION S.S.	TARIFA	EPIGRAFE	SECCION	NRO.	PERIODO		TOTAL DIAS
27/12345678-77	7	113			Mens. 01 oct. 02 a 31 oct. 02		30

Forma de pago: transferencia bancaria

	Importe	TIPO	IMPORTE
Salario base:	1.663,95		
Antigüedad:	39,02		
Complemento específico:	250,42		
Complemento de carrera:	150,25		
Complemento puesto:	601,01		
I.R.P.F.	2.704,65	21,00%	567,98
Cuotas a la S.S.:	2.574,90	4,70%	121,02
FORMACIÓN PROFESIONAL:	2.574,90	0,10%	2,57
DESEMPLEO:	2.574,90	1,55%	39,91
TOTAL	2.704,65		731,48
NETO A PERCIBIR			1.973,17

NOMINA A-3 APLICACIONS INFORMATIQUES - EXP. 92/82

5.3. Comenta con dos compañeros los diferentes conceptos que aparecen en la nómina desglosada. ¿Coinciden con los de vuestros países? ¿Cómo es una nómina en vuestro país?

La percepción bruta del salario se puede desglosar en diferentes conceptos (idiomas, categoría profesional, carrera...), según los convenios laborales específicos de cada profesión.

[13] **5.4.** Adrián Jimeno comenta con la responsable de nóminas el desglose de la nómina que acaba de recibir (actividad 5.2.), porque hay algún concepto que no le queda claro. Responde a las preguntas.

– *¿Qué problemas tiene?*

– *¿Cómo están resueltos en la nómina?*

6. Consultorio jurídico-laboral

6.1. Lee la pregunta de un lector del periódico *El País* al consultorio jurídico-laboral. Selecciona tres palabras que no entiendas y escríbelas en la pizarra.

Consulta

TRASLADO DEL CENTRO DE TRABAJO

"La empresa para la que trabajo tiene en proyecto trasladarse a una población distante 30 kilómetros. ¿Está contemplado algún tipo de compensación por estas alteraciones?"

La asesoría jurídica de *El País* responde teniendo en cuenta dos posibles situaciones:

Situación 1

Los cambios de un centro de trabajo a otro que no implican el cambio de residencia del trabajador no son sustanciales, y se pueden realizar de forma unilateral por el empresario.

Situación 2

Si el cambio de lugar del centro de trabajo implica cambio en la residencia del trabajador, estaremos ante el supuesto de movilidad geográfica del artículo 40 del Estatuto de los Trabajadores.

6.2. Según una u otra situación, el trabajador tiene los siguientes derechos. Lee las respuestas.

a. El trabajador, en estos casos, puede aceptar el traslado, aceptarlo pero impugnarlo o solicitar la extinción indemnizada del contrato (20 días por año de servicio).

b. En estos casos, el trabajador tiene derecho a ser indemnizado o a percibir una compensación si el cambio de lugar de trabajo es a un centro situado a mayor distancia de donde tiene su domicilio.

c. En caso de aceptar el traslado de residencia, tiene derecho a una compensación por los gastos que el cambio le suponga.

Texto adaptado de *El País Semanal*.

6.3. Entre todos los compañeros y el profesor, intentad aclarar las dudas que tenéis del texto y explicad las palabras que desconocéis.

6.4. Relaciona las situaciones 1 y 2 con las respuestas a, b y c. Comprueba tu resultado con el de tu compañero.

Situación 1

Situación 2

6.5. Completad la siguiente llamada de teléfono que tiene como base el texto de consulta anterior. Inés Paricio consulta a su abogado, Ignacio Mejías, sobre el traslado de su centro de trabajo. Os sugerimos que ensayéis en voz alta la llamada para comprobar que todo os suena bien.

Secretario:	*Gabinete Oligarra y Asociados*, ¿dígame?
Inés Paricio:	Hola, buenos días, quería hablar con Ignacio Mejías.
Secretario:	¿De parte de quién?
Inés Paricio:	De Inés Paricio.
Secretario:	Sí, ahora mismo le paso.
Ignacio Mejías:	Buenos días, Inés.
Inés Paricio:	Buenos días, Ignacio. Mira, tengo una consulta sobre el traslado del centro de trabajo. ¿Puede trasladarse la empresa sin problemas o nos lo tiene que consultar?
Ignacio Mejías:	....
Inés Paricio:	....

7. Preposiciones

Completa con la preposición adecuada.

1. Usted hizo una entrevista .... nosotros el día 15 .... el puesto de jefa de ventas de nuestras tiendas en Castilla-León.
2. No olvide traer el número de cuenta .... la transferencia.
3. ¿El concepto .... "Complemento de carrera" tiene que aparecer .... saldo negativo o positivo?
4. El neto .... percibir en la nómina es correcto.
5. Se ha incrementado .... un 5% el salario base y el complemento .... los trienios.

8. Escribe

Comunicado interno

8.1. Fíjate en el comunicado interno sobre el acta de una reunión celebrada hace dos días.

COMUNICADO INTERNO

De: Secretaría Dirección General

A: Servicio Técnico y Laboratorio

Ref.: SDG35/2003

ASUNTO: Acta de reunión 7 enero de 2003

MENSAJE:

Os envío el borrador del acta de la última reunión. Me gustaría saber si mi interpretación a vuestras intervenciones es correcta, o bien si tengo que modificar algún apartado. Las páginas con notas técnicas deberíais revisarlas también.

Os agradecería vuestra pronta respuesta. Gracias.

Un cordial saludo,

Fdo.:
Luisa Rábana

FECHA: 10 de enero de 2003

ANEXO: Acta de reunión 7 de enero (borrador)

8.2. Redacta un comunicado interno solicitando el visto bueno al resumen y a las conclusiones que has preparado de la reunión que ha terminado hace escasos minutos.

Éstas son algunas palabras y frases que te pueden ayudar a la hora de redactar este texto.

✔ *Como ven (ustedes) / veis (vosotros), hemos detallado...*
✔ *Le/ te/ os/ les envío el acta de...*
✔ *Esperamos su / tu / vuestra pronta respuesta.*

Presta especial atención al tono que quieres dar al comunicado y usa el registro adecuado, formal o informal.

Las palabras que tienen el acento tónico en la antepenúltima sílaba, llevan tilde en esta sílaba.

Ejemplos del texto anterior: <u>úl</u>tima, <u>téc</u>nica y <u>pá</u>gina.

¿Recuerdas otros ejemplos?

9. Diferencias culturales

 9.1. ¿Cómo es en tu país desde el punto de vista laboral? Contestad a las siguientes preguntas y obtened información de vuestros compañeros. Añadid las afirmaciones que os interese contrastar con la situación en otros países. Si sois de la misma nacionalidad, podéis completar la tabla y añadir otras informaciones que os interesaría contrastar con España.

España	País	País	País	País
Preguntas como: "¿Estás casado?" o "¿Piensa tener hijos?" no son procedentes.				
La edad de jubilación se sitúa en torno a los 65 años.				
La jornada laboral media es de 40 horas semanales.				
El subsidio de desempleo se recibe durante un plazo máximo de 2 años.				
Si tú te vas de un trabajo, no tienes derecho al paro.				

 9.2. En grupos, poned en común la información que habéis recogido.

 9.3. Un grupo presenta sus conclusiones al resto de la clase y los demás grupos comentan y añaden la información que no coincide.

10. Lectura

10.1. La carta de presentación es tan importante como el currículum. ¿Cómo crees que hay que presentarla, impresa o escrita a mano?
¿Crees que alguna empresa puede estar interesada en una carta escrita a mano? ¿Por qué? ¿Qué datos se pueden obtener?

10.2. Lee el siguiente texto.

La grafología en la carta de presentación

Algunas empresas incluyen en sus procesos de selección de personal un análisis grafológico de las cartas de presentación de los candidatos.

En algunas ofertas de empleo se solicita un currículum junto a una carta manuscrita. Esta carta manuscrita asume las funciones de carta de presentación y permite al grafólogo elaborar un análisis grafológico de orientación laboral.

¿Para qué sirve el análisis grafológico en una carta de presentación?

Este tipo de estudio permite obtener una valiosa información de las condiciones de aptitud y personalidad de un candidato.

¿Qué aptitudes pueden valorarse a través de una carta de presentación?

Capacidad de atención y concentración: el grafólogo se fija en los signos de puntuación y analiza los puntos sobre las 'i'.

Estabilidad emocional: para evaluar este punto, el grafólogo observa la relación entre mayúsculas y minúsculas, la inclinación de la escritura y el tamaño de letra que utilices.

Honestidad: se analiza cómo se escriben las letras 's' y 'p'.

Voluntad: se observa la escritura de las letras 't' y 'r'.

Capacidad de adaptación: esta variable se estudia a partir de la forma de enlazar las letras de una palabra.

Capacidad de organización: el grafólogo valora al candidato a través del uso del espacio en la hoja (cómo distribuye su escritura y el grado de legibilidad). Para analizarlo, se observa la distancia entre palabras y el uso de los márgenes.

Grado de responsabilidad: se observa en el orden o desorden de la escritura, la puntuación y las barras de la 't'.

En < http://www.infojobs.net >

10.3. ¿Qué aptitudes os gustaría que se percibieran de vuestra escritura? ¿De las aptitudes descritas, cuáles creéis fundamentales para contratar a alguien que trabajara con vosotros?

Tarea final

Prepárate para la firma del contrato

1. Un contrato es un documento en el que se definen los detalles de nuestra vida laboral. Pensad en todos aquellos detalles que consideréis fundamentales tratar y hacer constar en un contrato.

2. Una revista dedicada a la entrada en el mundo laboral, *Entra con buen pie*, os ha pedido que redactéis una serie de recomendaciones y consejos dirigidos a aquellas personas que firman su primer contrato. El título es "Prepárate para la firma del contrato".

Podéis usar:

✔ *No olvides preguntar por...*

✔ *Infórmate en el INEM de...*

✔ *Trata de usted...*

✔ *Consulta con un abogado...*

✔ *Al sacar el tema del salario, pregunta específicamente por el salario base...*

No todos los temas se reflejan en el contrato, algunos figuran en el convenio laboral. Pero no olvidéis tratar todos los temas:

✔ horario de lunes a jueves
✔ horario de los viernes
✔ horario de verano
✔ número de pagas extras
✔ categoría profesional
✔ tipo de contrato

Al final, escoged una frase que impacte y que recoja el espíritu de vuestras palabras.

Ejemplo:

• *Si no entiendes algo, no te calles, pregunta, luego es demasiado tarde...*

Recordad usar los recursos lingüísticos vistos en la unidad.

3. **Presentad el trabajo a vuestros compañeros. Podéis repartirles fotocopias del artículo.**
En la exposición, preguntad y reformulad aquello sobre lo que tengáis dudas.

¿Qué propuesta es la más completa? ¿Qué frases os parecen las más ingeniosas?

HISPANOAMÉRICA

1

María Delia está en el taxi camino de las oficinas de Chilefuego Turismo. Escucha las noticias de la radio.

[14]

Escucha y completa la información siguiente.

Otras noticias de interés:

• La nueva ley del gobierno *(1)*........................ establece nuevos sueldos y asignaciones.

El ingreso mensual mínimo imponible para trabajadores de 18 años o más de edad será de *(2)*...................$ y el sueldo vital mensual, *(3)*........................$.

La ley *(4)*........................ del gobierno establece que la asignación familiar para cantidades mayores a *(5)*........................ $ es de *(6)*........................ $.

• El gobierno de nuestro país, junto con las compañías de salud privadas, estudian la remodelación de la *(7)*........................ de la ISAPRA y de los planes de jubilación. Parece ser que el AFP *(8)*........................ de Fondos de Pensiones también será revisado. Tras el verano se anuncian cambios.

• Los representantes sindicales anunciaron ayer el inicio del estudio y negociaciones para la disminución del número de horas semanales, que en nuestro país es de *(9)*........................ horas.

• El presidente de Argentina, anunció...

Tomado de *http://www.tercera.cl/diario/2002/06/21/99.99.3a.TRIBUTO.html*

Es curioso...
¿A qué correspondería en España? Puedes encontrar ayuda en la unidad 3 que acabas de estudiar.

ISAPRA,
48 HORAS,
AFP.

2

María Delia se encuentra reunida con Vittorio Desormeaux. La reunión está finalizando, están ya señalando las conclusiones con las acciones a realizar.

Leed el siguiente diálogo. Fijaos en las expresiones señaladas.

Vittorio Desormeaux:
Así, si **ustedes** visitan mañana las instalaciones de nuestro centro y en el próximo mes ustedes nos dan la conformidad a nuestro *business* plan... ya mismo buscamos personal, seleccionamos, ponemos los **avisos**, pensamos en las **gratificaciones**...
María Delia:
A nosotros la idea de B2B nos parece interesante. No vemos con claridad la relación con

la formación *on line* que ustedes proponen pero... lo estudiaremos.

Otra cuestión que nos preocupa es la contratación de los empleados para este apartado del negocio: ustedes quieren ocuparse de todo, desde los avisos hasta los contratos y el INP, nosotros entendemos que sobre las cuestiones propias del país, tipo INP o el número de 12 pagas, no podemos ni debemos entrar. Pero nos gustaría estar en el proceso de selección, nuestros empleados en esta área del negocio deberían tener todos el mismo perfil, tener garantía de marca...

Relaciona las palabras señaladas con una de las siguientes.

Y ahora una pregunta fácil, ¿por qué hemos señalado "ustedes" cuando habla Vittorio? ¿Es sólo una razón de cortesía?

Compensación laboral

14

S.S.

Anuncios

Aquí tienes unas frases extraídas de un artículo publicado en *Estrategia* de Santiago de Chile, que lee María Delia Magaró en el taxi de vuelta al hotel.

3.1. Leedlas individualmente.

Sistemáticamente estamos discutiendo en el Parlamento leyes de cómo hacer más difícil la contratación de personal.

Lo que se necesita es crear las condiciones para que la economía ofrezca más, se aumente la inversión y se creen más empleos. En los últimos años hemos actuado en contra de esos principios.

El economista Hernán Büchi señaló que le parece peligroso que, en una economía recesiva como la nuestra, se estén discutiendo alzas de impuestos. "Cada seis meses se está produciendo una nueva discusión tributaria, lo que es preocupante", señaló.

Cada paso que hemos dado ha sido para hacer más difícil el tema laboral.

3.2. Puesta en común: ¿estáis de acuerdo con las frases destacadas?

Cultura empresarial

En esta unidad aprendes a...

■ **Referir contenidos de un texto o palabras de alguien**

   Este texto dice que...
   El jefe de relaciones laborales y sociales comenta en el artículo que...
   Juan me ha preguntado por...
   Lucía ha explicado que...

■ **Referirse a alguien o conjunto de personas sin importar su identidad**

   Uno trabaja mejor...
   Un equipo trabaja peor cuando...

■ **Expresar impersonalidad**

   Se rinde más cuando...
   Se tienen mejores ideas cuando...

■ **Escribir invitaciones y pedir confirmación de asistencia**

   El viernes estáis todos invitados a...
   Se ruega confirmación.

■ **Dar la enhorabuena y responder**

   ▶ ¡Enhorabuena! Te lo mereces.
   ▷ Muchas gracias.

■ **Pedir disculpas y expresar pesadumbre**

   ▶ Lo siento, la próxima vez. / ¡Cuánto lo siento!
   ▷ No importa, no pasa nada. La próxima vez será.

■ **Expresar agradecimiento**

   Muchas gracias a todos nuestros compañeros por animarnos a presentarnos
   a este concurso.
   El premio os lo queremos dedicar a todos vosotros.

■ **Distribuir un trabajo en un grupo**

   ▶ Yo elijo el texto de correos y telégrafos.
   ▷ De acuerdo, yo puedo leer el de CAM.
   ▶ Vale, pues yo el de AENA.

unidad 4

Cultura empresarial

1. Ascender es cosa de cada empleado

1.1. Muchas veces comentamos lo que hemos leído o nos han dicho. Entre todos, escribid en la pizarra verbos que sirvan para referirse a algo escuchado o leído.

> Ejemplo:
> - decir
> - preguntar

1.2. Luis va leyendo en el metro la revista *Actualidad económica*. **El titular del artículo que lee es el siguiente:**

> ### Ascender ahora es cosa de cada empleado

[15]

Escucha la conversación entre Luis y Carlota. Entre todos, comentad los temas que se tratan.

Vuelve a escuchar y marca en el siguiente cuadro qué información lee Luis textualmente de la revista y qué está transmitiendo sin leer.

ACTUALIDAD

eCONOMICA

NÚM. 64 Ascender ahora es cosa de cada empleado

El sistema de clasificación de Perfiles Profesionales de Danone facilita la promoción profesional e incrementa la competitividad en la empresa.

Actualidad económica

	Lee textualmente	Hace referencia al texto sin leer
1. Determinada la categoría a la que cada trabajador pertenece y conocidas las competencias requeridas para ascender de puesto, la decisión voluntaria de ascenso corresponde a cada empleado		
2. Cualquiera tiene acceso a ello, pero hay dos pasos intermedios y obligatorios: la formación teórico-práctica por módulos -en horas casi siempre extralaborales- y la posterior obligación de ser evaluado por mandos de la empresa		
3. Ha supuesto una auténtica revolución cultural		
4. Un 14% de la plantilla se apuntó en la primera promoción		
5. Esperan compensar con los resultados la complejidad inicial de este diseño		

1.3. Aquí tenéis la transcripción de la conversación. Sustituid los verbos marcados por otros sinónimos.

Luis: Carlota, si alguien te dice que hay una empresa en la que "ascender es cosa de cada empleado", ¿qué es lo primero que te viene a la cabeza?

Carlota: Pues... déjame pensar. Ya está: quiero ir a esa empresa o... mejor aún, adoptar su sistema de promoción. ¿Qué empresa funciona así?

Luis: Danone. Mira, lo venía leyendo en un artículo de *Actualidad económica*. *(1)* **Dice**, textualmente, "determinada la categoría a la que cada trabajador pertenece y conocidas las competencias requeridas para ascender de puesto, la decisión voluntaria de ascenso corresponde a cada empleado".

Carlota: ¡Uyyyy! Eso tiene truco, ¿quién no va a querer ascender y mejorar?

Luis: Bueno, escucha lo que *(2)* se **dice** en un párrafo más abajo: "Cualquiera tiene acceso a ello, pero hay dos pasos intermedios y obligatorios: la formación teórico-práctica por módulos –en horas casi siempre extralaborables– y la posterior obligación de ser evaluado por mandos de la empresa".

Carlota: ¿Y esto ha tenido buenos resultados entre los empleados?

Luis: Sí, ya lo creo que sí. El jefe de relaciones laborales y sociales *(3)* **comenta** en el artículo que ha supuesto una auténtica revolución cultural, y *(4)* **añade** que un 14% de la plantilla se apuntó en la primera promoción.

Carlota: La verdad es que suena fenomenal, así se motiva a los empleados y se los fideliza, a cambio, la empresa ha ganado en racionalización del trabajo y en formación y reciclaje de su propio personal.

Luis: Efectivamente, *(5)* **dice** que esperan compensar con los resultados la complejidad inicial de este diseño. Estas iniciativas tienen que extenderse, por lo menos a nuestra empresa, ¿no?

Carlota: Sí, eso.

Si te refieres a palabras de otro (texto oral o escrito) intenta usar sinónimos de "decir":

- Comenta (que)
- Especifica (que)
- Expone (que)
- Explica (que)
- Detalla (que)
- Añade (que)

1.4. ¿Cuál es la diferencia entre una cita textual y una referencia al texto sin leerlo? Entre todos, haced propuestas para cambiar el estilo de referencia del artículo.

Ejemplo:

- El jefe de relaciones laborales y sociales dice: "Este cambio ha supuesto una auténtica revolución cultural. En la primera promoción se apuntó un 14% de la plantilla".

La entonación es siempre muy importante porque implica cambios de significado. Cuando un hablante cita textualmente un fragmento de un texto o las palabras de otro hay una pausa más larga antes de la cita (vuelve a escuchar la grabación si no te acuerdas). Esta cita se identifica gráficamente mediante comillas y, normalmente, se precede de dos puntos o de coma (repasa el texto si no te acuerdas).

2. ¿Qué dices?

2.1. Un alumno es A y el otro es B. Lee el texto a tu compañero poniendo especial atención en las pausas; él tiene que copiar al dictado intentando puntuar correctamente todas las oraciones, es decir, hay que incluir los puntos, comas, dos puntos, comillas, interrogaciones, etc. de la forma más correcta posible.

Alumno A

Ayer llegué al trabajo y me preguntaron: "¿Qué te gustaría cambiar de la empresa?". Menuda sorpresa, así de repente. ¿Y sabes lo que contesté? Pues, dediqué dos minutos a la idea y les dije, "no sé, la verdad es que me encuentro muy cómoda". Y no supe qué comentar. Ahora, pensándolo más, cambiaría un par de cosas de la empresa.

Alumno B

Mañana tengo reunión con Alfonso y le voy a decir muy clarito que no acepto una subida sólo del IPC, que he asumido muchas responsabilidades en el proyecto Alfa desde hace 8 meses. Le voy a preguntar: "¿Te gusta que te reconozcan el trabajo?"; si me responde: "Sí, claro, a todos", yo, claro, le daré la razón. Así será muy evidente lo que quiero comentar, ¿verdad?

2.2. Corregid los textos entre todos, podéis haber puntuado el texto de otras formas igualmente correctas.

3. Reunión de ejecutivos para mejorar un equipo

3.1. Lee el siguiente texto sobre la formación de equipos de trabajo.

Si queremos formar equipos de trabajo con torrentes de ideas, equipos verdaderamente innovadores, hemos de considerar la presión y la energía: a mayor presión, menor energía. Toda una paradoja: si presionamos al equipo con el fin de generar ideas, lo va a hacer peor que si aseguramos las condiciones y le dejamos *a su aire*. Individualmente, las ondas cerebrales nos han demostrado que uno tiene sus mejores ideas no cuando siente miedo y está presionado, sino cuando fluye libremente: cuando está relajado, cuando se siente a gusto. En un equipo ocurre lo mismo, cuando más se lo presiona, menor velocidad de innovación. Así de simple.

Para aprovechar la energía del aire en el equipo, debemos hacer lo siguiente:

- ☐ Definir un perfil de competencias común a los miembros del equipo.
- ☐ Incluir entre las cualidades requeridas para todos un nivel adecuado de empatía y de integridad.
- ☐ Animar a los miembros del equipo a tomar iniciativas sin consultar constantemente.
- ☐ Aceptar las nuevas ideas con facilidad, como materia prima para la innovación, sin tener en cuanta estatus, edad, sexo, antigüedad, etc.
- ☐ Tratar abiertamente los problemas del equipo y resolver los conflictos en el seno de éste.
- ☐ Reconocer a los integrantes del equipo cuando han realizado una aportación valiosa o han realizado bien su trabajo.
- ☐ Compartir los conocimientos y las habilidades de los miembros del equipo.
- ☐ Apoyarse unos a otros en momentos difíciles.
- ☐ Disponer de la autonomía individual necesaria para conseguir la libre actuación de cada uno de sus miembros.
- ☐ Generar un ambiente de trabajo extraordinario en el equipo.

Adaptado de J.C. Cubeiro, *El bosque del líder*

3.2. Después de leer el texto anterior, da una puntuación del 1 (lo menos importante) al 10 (lo más importante) a cada afirmación.

3.3. Compara tu puntuación con la de un compañero.

3.4. Intentad explicar al resto de la clase cuándo pensáis que se trabaja mejor en un equipo. Fíjate en las frases destacadas en el texto.

Ejemplo:

► El trabajo en equipo se aprovecha más cuando se define un perfil de competencias común a los miembros del equipo.

- Para decir algo sin referirte a nadie en concreto puedes usar:
  Uno trabaja mejor cuando...
  Una persona tiene mejores ideas cuando...
  Un equipo rinde más cuando...

- También puedes usar esta construcción:
  Se trabaja mejor cuando...
  Se tienen mejores ideas cuando...
  Se rinde más cuando...

Observa que el verbo va en plural si el complemento que le sigue va en plural.

Fíjate también en que te hemos propuesto que trabajes estas frases con **cuando** + *indicativo*.

- Lo contrario de **mejor** es **peor**:
  Uno trabaja **peor** cuando...

- Y si quieres presentarlo como absoluto, sólo tienes que utilizar el **lo**:
  Lo peor en el trabajo es cuando...

4. Contamos contigo

4.1. A continuación, te presentamos la forma en la que tres empresas han canalizado y premiado las mejores sugerencias de los empleados. Formad grupos de 3 y elegid una lectura cada uno.

Ejemplo:

► Yo elijo el de correos y telégrafos.
▷ De acuerdo, yo puedo leer el de CAM.
► Vale, pues yo el de AENA.

CORREOS Y TELÉGRAFOS. Todos para todo

EL MÉTODO

El Comité de Dirección y el Comité Territorial seleccionan las mejores ideas que se presentarán en el Foro Anual de Calidad.

LO QUE SUGIEREN

En el año 2000 se presentaron un total de 29 propuestas. Y sólo en el primer semestre de 2001 (últimos datos conocidos) se habían presentado 47 ideas de mejora.

EL PREMIO

El ganador del Foro Anual de Calidad recibe un premio de un viaje de cuatro días por Europa. Además de la difusión interna de la idea ganadora, se procura potenciar también la difusión externa y participar en congresos.

LA IDEA

Ventanilla unificada de entrega. El departamento de entrega atendía al usuario a través de seis ventanillas especializadas cada una en determinados productos. La especialización encasillaba al trabajador, que se inhibía de la operativa general y no atendía a quien solicitaba otro producto diferente. Con la ventanilla unificada se consiguió, entre otros beneficios, la reducción del tiempo de espera para el usuario, la posibilidad de disponer de puntos de entrega en función de la afluencia de éstos y la optimización de los recursos humanos. La idea recibió el Premio Activa 2000 de Correos y Telégrafos.

La ventanilla unificada ha reducido los tiempos de espera de los usuarios en las oficinas de Correos y Telégrafos.

CAM: Una caja que fomenta el uso de los cajeros

EL MÉTODO

La Caja de Ahorros del Mediterráneo dispone de un buzón de sugerencias (individual) y Círculos de Calidad (en grupo). Anualmente el Comité de Evaluación y Sugerencias selecciona las mejoras y en la Convención Anual de Calidad se entregan los reconocimientos.

LO QUE SUGIEREN

Se presentan entre 500 y 600 propuestas individuales (un 15% de los empleados). Y en los 25 círculos de calidad participan entre 200 y 250, que presentan 14 trabajos al año.

EL PREMIO

Anualmente se entregan premios en efectivo para la participación individual y reconocimientos (placas) y viajes para los circulistas y sus acompañantes.

LA IDEA

Incrementar al máximo la operativa en los cajeros. Solamente con desviar un 10% de las operaciones a los cajeros automáticos se conseguiría un ahorro anual en torno a los 787 325 euros.

Utilizar más los cajeros supone para la CAM un fuerte ahorro.

AENA: Aumenta los servicios de información

EL MÉTODO

Para diagnosticar la situación de los aeropuertos, unidades de servicios centrales y regiones de navegación aérea, AENA realizó 26 evaluaciones en las que participaron 194 empleados de todas las categorías y niveles profesionales. Por otro lado, y para fomentar esta participación, desde el año pasado las iniciativas y experiencias singulares e innovadoras de los empleados de esta compañía estatal son reconocidas con el Premio a la Excelencia y Mejoras Prácticas.

LO QUE SUGIEREN

AENA identificó 29 grandes áreas de mejora entre los 43 aeropuertos y cinco centros de control que gestiona en España. En la primera edición del Premio a la Excelencia se presentaron 18 candidaturas, de las que fueron premiadas tres.

EL PREMIO

No existen incentivos económicos. El premio consiste en una estatuilla de Rafael Canogar y la publicación interna en los documentos del departamento o división galardonados. Ocasionalmente, se han concedido premios en metálico o días de vacaciones extra a personas concretas que han trabajado en algún tipo de propuesta.

LA IDEA

La creación del servicio de Chaquetas Azules en el aeropuerto de Palma de Mallorca, una unidad de apoyo a los servicios de información existentes en situaciones de carácter extraordinario, contribuyó a lograr una mejora de la percepción que los clientes tienen de la organización respecto a la accesibilidad, comunicación y capacidad de respuesta ante sus problemas.

Los 'chaquetas azules' del aeropuerto de Palma refuerzan los servicios de información en situaciones extraordinarias.

Revista *Emprendedores*

Unidad 4

4.2. En grupos, informad a vuestros compañeros de la idea que ha mejorado el servicio de cada empresa. Podéis hacer referencia a lo que dice el texto, citando textualmente.
¿Qué idea de las tres empresas os gusta más?

4.3. Fijaos ahora en el método de recogida de ideas y en los premios. ¿Cuál os gusta más?

Preferencias de mi grupo:

La mejor idea

El mejor método

El mejor premio

5. Concurso "Mejor idea del año"

5.1. Piensa en una empresa de tu país que te parece que se podría mejorar (correos, información turística, un banco, un servicio de mensajería, etc.). Prepara una descripción breve del tipo de empresa que es y el tipo de atención deficitaria que has detectado.

5.2. En grupos, informad a vuestros compañeros de la empresa elegida, también escuchad la información de vuestros compañeros. Seleccionad una de las tres empresas para buscar soluciones de mejora.

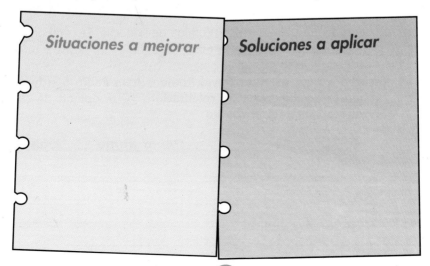

Situaciones a mejorar

Soluciones a aplicar

5.3. Preparad un mural para presentar la información y exponerla en clase. Si sois pocos grupos, podéis hacer también una presentación oral de vuestro trabajo.

- **Recomendamos** + *infinitivo*
- **Pensamos que es bueno** + *infinitivo*
- **Sugerimos** + *infinitivo*
- **Proponemos** + *infinitivo*

Ejemplo:

- Os recomendamos escuchar atentamente al usuario final: siempre tiene la razón.
- Pensamos que es bueno aplicar un criterio de humildad, los otros pueden tener mejores ideas que las nuestras.

5.4. ¿Qué idea os parece la más acertada? Elegid entre todos la mejor propuesta.

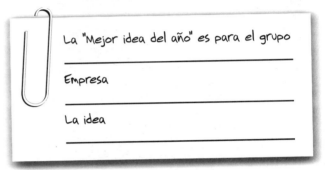

La "Mejor idea del año" es para el grupo
_____

Empresa
_____

La idea
_____

6. Comida de empresa

6.1. En la empresa Elecness se prepara la celebración de la "Mejor idea del año". Con tu compañero, selecciona el tipo de celebración que preferís. Antes, relaciona cada palabra con su significado.

1. aperitivo •

2. comida o almuerzo •

3. cóctel •

4. cena •

• a. Reunión o fiesta donde se toman licores y diferentes bebidas, generalmente por la tarde.

• b. Comida del mediodía. Se compone de primer plato, segundo plato, postre y café.

• c. Bebida que se toma antes de una comida principal. Comida que suele acompañar esta bebida.

• d. Comida de la noche. Se compone de primer plato, segundo plato, postre y café.

[16]

6.2. Escucha a Olga Asensio, David Romo y Juan Pedro Sánchez hablar de las diferentes posibilidades de celebración. ¿Qué opinan de cada una de las opciones? Completa el cuadro.

	Olga Asensio	David Romo	Juan Pedro Sánchez
aperitivo			
comida o almuerzo			
cóctel			
cena			

6.3. A continuación hay varios menús. Selecciona cuál corresponde al cóctel que quieren preparar en Elecness.

1.

Copa de espera: cerveza, vino o jerez
Aperitivo del Cheff

Pimientos del piquillo
rellenos de bacalao
Pastel de salmón en salsa
blanca de mostaza
Lomo de buey asado con
verduras salteadas
Dorada a la bilbaína

Tarta y helado
Café

Bodega: Alto Río (crianza Rioja)

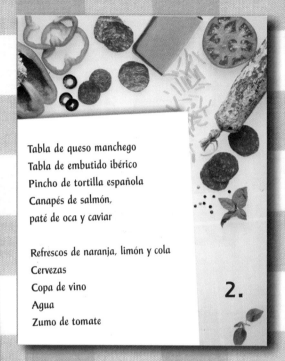

2.

Tabla de queso manchego

Tabla de embutido ibérico

Pincho de tortilla española

Canapés de salmón,

paté de oca y caviar

Refrescos de naranja, limón y cola

Cervezas

Copa de vino

Agua

Zumo de tomate

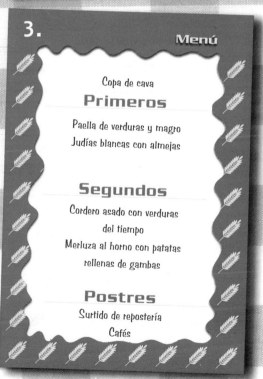

3.

Menú

Copa de cava

Primeros

Paella de verduras y magro
Judías blancas con almejas

Segundos

Cordero asado con verduras
del tiempo
Merluza al horno con patatas
rellenas de gambas

Postres

Surtido de repostería
Cafés

4.

Copa de cava
Copa de vino
Licores
Refrescos de naranja, limón y cola

Aceitunas
Frutos secos variados

6.4. Relaciona cada menú de la actividad anterior con una de las siguientes fotografías.

a.

b.

c.

d.

7. ¡Enhorabuena!

7.1. Olga, David y Juan Pedro preparan la entrega de premios de la "Mejor idea del año" en Elecness. Para anunciarlo, escriben un correo electrónico a todo el personal de la empresa.

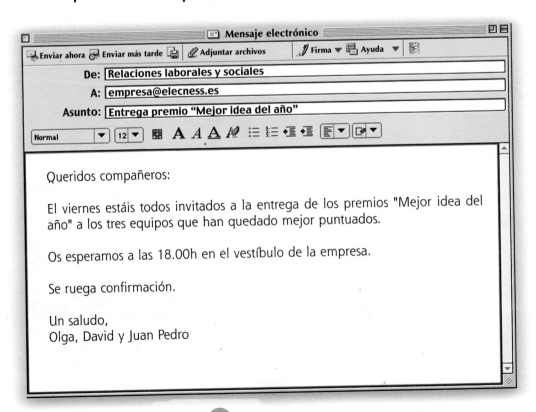

Mensaje electrónico

Enviar ahora | Enviar más tarde | Adjuntar archivos | Firma ▼ | Ayuda ▼

De: Relaciones laborales y sociales

A: empresa@elecness.es

Asunto: Entrega premio "Mejor idea del año"

Normal ▼ | 12 ▼ | A A A A

Queridos compañeros:

El viernes estáis todos invitados a la entrega de los premios "Mejor idea del año" a los tres equipos que han quedado mejor puntuados.

Os esperamos a las 18.00h en el vestíbulo de la empresa.

Se ruega confirmación.

Un saludo,
Olga, David y Juan Pedro

7.2. Entre todos comentad las siguientes cuestiones:

> ✔ ¿Cuál es el tono del correo? Informal o formal.
>
> ✔ Fijaos en el saludo, ¿os parece adecuado o preferís otro?
>
> ✔ ¿Y las despedidas?
>
> ✔ La frase "se ruega confirmación", ¿la creéis necesaria o se puede suprimir?

[17]

7.3. Escucha cómo transcurre la entrega del premio. Presta atención a las frases de felicitación y de agradecimiento. Anota las expresiones en su lugar correspondiente.

Felicitaciones

_____
_____
_____
_____

Agradecimientos

_____
_____
_____
_____
_____
_____
_____

7.4. Poned en común vuestros resultados.

7.5. Aquí tienes otros ejemplos para diferentes intercambios sociales. Relaciona los ejemplos con sus usos:

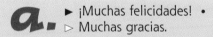

a.
► ¡Muchas felicidades! •
▷ Muchas gracias.

b.
► ¡Enhorabuena! Te lo mereces. •
▷ Muchas gracias.

c.
► Lo siento, la próxima vez. / •
¡Cuánto lo siento!
▷ No importa, no pasa nada, la próxima vez será.

· 1. Ascenso en la empresa

· 2. Cumpleaños

· 3. Comunicación de no ascenso

8. Preposiciones

Completa con la preposición adecuada:

1. Se tiene acceso.........toda la información..........los proyectos de los diferentes departamentos.

2. Esto tiene truco, ¿quién no va.........querer ascender y mejorar?

3. El nuevo método.............evaluación del rendimiento ha sido bien acogido ....los empleados.

4. En los momentos difíciles hay que apoyarse unos......otros........fin de conseguir apoyo moral.

5. El aperitivo puede ser.........la tarde o si queréis, damos un almuerzo........media mañana.

9. Escribe

Carta de felicitación

9.1. Lee la siguiente carta de felicitación.

Raimundo Riollo
Construcciones

C/ Piamonte, 27
28034 MADRID

Madrid, 26 de abril de 2003

Estimado Raimundo:

En nombre propio y en el de mi empresa, me complace felicitarle por su reciente nombramiento como Presidente de la Asociación de Jóvenes Empresarios.

Estoy seguro de que su gran prestigio personal y profesional ayudará a ampliar las iniciativas de tantos emprendedores con talento.

Quiero reiterarle la confianza que tenemos puesta en usted.

Espero tener pronto la ocasión de felicitarle personalmente.

Atentamente,

Mariano Rueca
Director de Recicla, S.A.

RECICLA. S.A.   C/ Torcuato 26, 08020 Barcelona   Tel./Fax: 93 44 56 456 recicla@recicla.es

9.2. Escribe una carta para felicitar a un conocido tuyo que acaba de ser nombrado presidente de una asociación. Decide primero qué tono quieres mostrar en la carta (más o menos formal).

En el texto debes incluir:

✔ un saludo cordial

✔ una introducción (felicitación y motivo de la misma)

✔ el núcleo (comentario sobre la ocasión que motiva la felicitación)

✔ la conclusión (expresión de disponibilidad o de reiteración de confianza)

✔ la despedida

Estas son algunas palabras y frases que te pueden ayudar a la hora de redactar este texto:

- Quisiera expresarle/ expresarte nuestra/mi enhorabuena...
- Reciba/Recibe nuestra/mi más sincera felicitación.
- Hemos recibido con satisfacción la noticia de su/tu nombramiento...

No olvides prestar especial atención al registro del documento (formal o informal), tanto en la conjugación de las formas correspondientes (tú o usted) como en las fórmulas para dirigirte a ellos.

Las vocales A, E, O son vocales fuertes.
Las vocales I, U son vocales débiles.

La unión de dos vocales, una fuerte y una débil, o de dos débiles forman una sílaba, se pronuncian en una sola emisión de voz y se llama diptongo:

Ejemplos del texto anterior: Rai-mun-do; Rio-llo; Pia-mon-te; pro-pio

¿Puedes encontrar más diptongos en la carta anterior?

10. Diferencias culturales

La cultura en mi empresa

10.1. Independientemente del sector al que pertenezcas, ¿en qué ambiente de empresa te gustaría trabajar? Es decir, ¿qué cultura empresarial te gustaría? Completa cada fila con información diferente e indica si es así en tu empresa o es un sueño.

	Es así en mi empresa	Es un sueño
1. La información se comparte a todos los niveles.		
2. Se escuchan las opiniones y argumentos de todos.		
3.		
4.		
5.		
6.		
7.		
8.		
9.		
10.		

10.2. Exponed vuestra información al resto de los compañeros. Fijaos sobre todo en cómo es la empresa real. ¿En qué empresa os gustaría estar? Completa el cuadro con la realidad de las tres empresas que te han gustado más.

1.

Nombre compañero	Nacionalidad o ciudad	Empresa	Ideas de la cultura de empresa

2.

Nombre compañero	Nacionalidad o ciudad	Empresa	Ideas de la cultura de empresa

3.

Nombre compañero	Nacionalidad o ciudad	Empresa	Ideas de la cultura de empresa

10.3. ¿Te identificas más con la cultura de una empresa de tu país o prefieres la cultura empresarial de otro país?

11. Lectura

11.1. Lee el texto siguiente.

Fidelizar a los empleados facilitándoles sus tareas domésticas

"Cuando un empleado tiene una gestión personal pendiente disminuye su ritmo de trabajo. Con este programa, muchas de estas gestiones las puede tener cubiertas en la propia empresa", señala Alfonso Jiménez, director general de Watson Wyatt, que hace hincapié en que, de esta forma, la empresa rentabiliza cada euro que invierte.

Miriam Aguado, consultora de Watson Wyatt indicó que se trata de una estrategia en la que todos ganan: la empresa porque motiva, compromete y rentabiliza el trabajo de sus empleados, mientras que éstos pueden resolver problemas, tienen una mayor satisfacción y, como consecuencia, mejoran en el desempeño de sus funciones.

Aunque la consultora de recursos humanos y el grupo multiasistencia MGA son los responsables últimos del funcionamiento de este programa, quien tiene el protagonismo ante los empleados es la propia empresa, que es la que da el servicio directamente a través de varias vías.

La empresa facilita a sus empleados a través de la intranet, del propio móvil o de un *call center*, la reserva de mesa en un restaurante con un veinticinco por ciento de descuento, la compra de un coche más barato, la búsqueda de una canguro para sus hijos, el envío de flores y la gestión de la tintorería y de otras compras. En total, más de cincuenta servicios que pueden establecerse según las preferencias del colectivo que los demande.

Expansión y empleo

11.2. Responded a las siguientes preguntas y comentadlas con toda la clase.

- *¿Qué te parece la idea de esta empresa?*
- *¿Crees que te ayudaría a rendir más en tu empresa?*
- *¿Hay alguna idea semejante en tu país?*

11.3. Pensad en qué necesidades tenéis en vuestro día a día para hacer sugerencias al departamento de RR.HH. o para aumentar los servicios de la empresa comentada. Podéis usar las expresiones vistas para:

a. **Referirse a alguien o conjunto de personas sin importar su identidad.**
b. **Expresar impersonalidad.**

Tarea final

Satisfacción en la empresa: evaluación

1. Elaborad un test para conocer el grado de satisfacción, expectativas, etc. de los empleados de una compañía.

Os presentamos algunas sugerencias, podéis cambiar los apartados que no os parezcan adecuados. Debéis incorporar nuevos temas a evaluar, ¡sería bueno llegar, como mínimo, hasta 8 apartados!

1. **Políticas para atraer a los mejores empleados del mercado laboral y fidelizarlos.**

Puntúa del 1 al 5 las siguientes afirmaciones: 1= peor, 5= mejor

- ☐ Participación en acciones de la compañía
- ☐ Plan de jubilación
- ☐ Programas de formación
- ☐ _____
- ☐ _____

2. **Actuaciones especiales para premiar a los mejores empleados.**

Puntúa del 1 al 5 las siguientes afirmaciones, 1= peor, 5= mejor.

- ☐ _____
- ☐ _____
- ☐ _____
- ☐ _____
- ☐ _____

3. **Métodos para promocionar a los empleados.**

Puntúa del 1 al 5 las siguientes afirmaciones, 1= peor/ 5= mejor.

- ☐ _____
- ☐ _____
- ☐ _____
- ☐ _____
- ☐ _____

4. **Sistemas de evaluación del trabajo de los empleados.**

Puntúa del 1 al 5 las siguientes afirmaciones, 1= peor, 5= mejor.

- ☐ _____
- ☐ _____
- ☐ _____
- ☐ _____
- ☐ _____

2. Pasad la encuesta a vuestros compañeros. Podéis repartiros el trabajo entre los tres, así os costará menos esfuerzo.

3. Contabilizad los resultados y preparad su presentación a la clase en soporte visual (fotocopias, mural, página *web*...). Tenéis que hacer propuestas por escrito, a la vista de los resultados, para mejorar el rendimiento y el clima empresarial.

4. Escoge el trabajo que más te guste (no puedes escoger el tuyo) y coméntaselo a tus compañeros.

Ejemplo:
- Los resultados de la encuesta dicen que un 8%...
- 5 de cada 10 encuestados han puntuado positivamente los programas de formación, como política empresarial para fidelizar a los empleados.
- En la propuesta se explica que...

5. Elegid dos maestros de ceremonia y buscad la forma de premiar el trabajo que más ha gustado. Estos maestros tienen que:

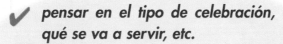

✔ *pensar en el tipo de celebración, qué se va a servir, etc.*

✔ *enviar una invitación y saber cuántos asistentes habrá*

✔ *entregar un premio sorpresa*

Recordad usar los recursos lingüísticos vistos en la unidad.

HISPANOAMÉRICA

1

Son las 7h de la mañana. María Delia está en su habitación del hotel Rugenda mirando un programa de televisión. Escucha lo que comentan.

[18]

Fíjate en las palabras destacadas. Son nombres de frutas y verduras. ¿Sabes lo que es cada una? Si no lo sabes, pregunta a tu profesor.

"Estamos en un campo donde se cultiva el **choclo** y al tiro vamos a contemplar una cosecha de **ají**. Les damos mucha importancia a nuestras frutas y verduras porque es uno de los rubros más importantes en las exportaciones de Chile a Norteamérica, Europa y Asia. Largas temporadas de mucho sol aseguran muchas cosechas de kiwis, uvas, **duraznos**, **frutillas**, tomates, choclos y frutas exóticas, como la **lúcuma** y la **chirimoya**. La temporada de verano llega al Chile Central con la primera cosecha de choclo, a mediados de diciembre, cuando empezamos a ver en la carta el famoso pastel de choclo."

Fíjate:
"Al tiro" lo dicen mucho los chilenos. En español de España significa 'en seguida'. Es como el "ahorita" mexicano.

¿Sabes el nombre de los siguientes alimentos en español de España? Relaciona:

Nombres en español de Chile	*Nombres en español de España*
1. • aji	a. • patata
2. • frutilla	b. • melocotón
3. • durazno	c. • una fruta tropical
4. • choclo	d. • maíz
5. • papa	e. • pimiento picante
6. • lúcuma	f. • fresa o fresón

1	2	3	4	5	6

2

María Delia quiere invitar a Vittorio Desormeaux y a sus compañeros de la empresa ChileFuego Turismo a una cena en un restaurante de cocina chilena. Desea agradecerles las atenciones que le han prestado esos días en Santiago y, al mismo tiempo, degustar la gastronomía del país. Estos últimos días han estado reunidos y no han podido disfrutar de una cena tranquila.

María Delia busca en la página de Internet www.puntosantiago.cl y encuentra algunos restaurantes que le parecen interesantes.

Lee la información que dan.

Región Metropolitana
Punto Local — U.F. :16.568.18 — Fecha 31/10/2002 — Santoral: Quintín

Portada
Panoramas
Turismo
Economía
Gobierno
Cultura
Mi región
Educación

Coco Loco
Av. El Bosque Norte 0215, Providencia
Observaciones:
Dedicado a pescados y mariscos. Destaca el "Cebiche de reineta". Atiende de lunes a sábado de 12:00 a 16:00 y de 20:00 a 23:30 hrs.; domingo hasta las 23:00 hrs.

El Madroñal
Av. Vitacura 2911, Vitacura
Fono: (2) 2336312
Observaciones:
Dedicado a la comida Mediterránea, Española y Europea. En su carta existen algunos platos como "Corvina con pulpo a la Gallega", "Rodaballo", "Paella a la Valenciana". Atiende de lunes a domingo de 13:00 a 16:00 y de 20:00 a 00:00 hrs.

Puerto Marisko
Isidora Goyenechea 2918, Las Condes
Fono. (2) 2332096
Observaciones:
Dedicado a la comida chilena en pescados y mariscos. Algunas de sus recetas son "Congrio Puerto Marisko" que consta de grillado con salsa de mantequilla montada, camarones y palta, "Trucha en salsa de centolla". También destacan las "Pastas" como "Fettuccini con salsa de locos y pinzas de jaiba". Atiende de lunes a domingo de 12:30 a 16:00 y de 19:30 a 00:00 hrs.

Don Simón
Pío Nono 261, Barrio Bellavista
Observaciones:
Dedicado a la comida chilena. Una de sus especialidades son las carnes rojas, blancas, pescados y mariscos y ensaladas, donde se caracteriza el "Bife de ají Cacho de Cabra". Atiende de lunes a domingo de 10:00 a 03:00 hrs.

¿Qué restaurante elegirías para María Delia? ¿Por qué?

Comentad entre todos vuestras propuestas.

María Delia está cenando en el restaurante Coco Loco con Vittorio Desormeaux y otras personas de la empresa Chilefuego Turismo. Eligió ese restaurante porque le gusta mucho el cebiche* y le dijeron que ahí lo preparaban muy bien.
A su lado está sentado Jorge Solari, abogado de la compañía y experto en temas laborales.

* Cebiche: Plato de pescado o marisco bien picados, crudos y preparado en un adobo de jugo de limón o naranja agria, cebolla picada y ají.

Ordena el siguiente diálogo entre ellos dos; ten en cuenta que la intervención de María Delia está ya ordenada.

María Delia Magaró	*Jorge Solari*
1. Jorge, leí que parte del éxito chileno reside en su regulación laboral y eso garantiza la paz social. ¿Es cierto?	a. No tenemos ese temor, aunque empezaron a llegar trabajadores argentinos de la más alta calificación. Históricamente hubo muchos chilenos trabajando en la Argentina, por lo que nuestra conducta es de reciprocidad.
2. Pero, ¿cómo se financia?	b. Bueno, pues... digamos que, el problema de la Argentina dejó de ser un problema económico para ser básicamente político. Se requiere un pacto social y político para dar estabilidad al actual gobierno y al que vendrá después.
3. Veo que es un diseño muy innovador.	c. Por supuesto, ya que no genera riesgos fiscales. El tiempo máximo de cobro son cinco meses, tanto para despidos como para los trabajadores que renuncien a su puesto.
4. Muchos dicen que deberían aplicarse en mi país, la Argentina, las medidas implantadas en el país de usted en los años 80...	d. Sí, lo es. Esa regulación laboral promovida desde el Gobierno estableció un seguro de desempleo que no existía en Chile.
5. ¿Temés vos una "invasión" de mano de obra argentina mejor preparada que la chilena?	e. Pues... esa financiación es tripartita: la parte principal la financian los empleadores, y también contribuyen los trabajadores y el Estado, que hace un aporte al fondo solidario.

1	2	3	4	5

[19] **Ahora escucha esa conversación.**

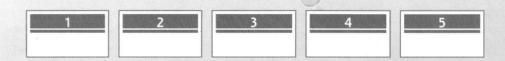

Responde a estas preguntas:

1. ¿Quién promovió la regulación laboral en Chile?

2. ¿Cómo se financia el seguro de desempleo en Chile?

3. ¿Qué trabajadores tienen derecho a cobrar el seguro de desempleo?

4. ¿Qué opina el señor Solari sobre los problemas de Argentina?

Unidad 4

De acá y de allá

EL NACIONAL, viernes 26 de julio de 2002

El desempleo en Latinoamérica llegó a cifras históricas

El desempleo ascendió de 8,1% de la población económicamente activa de la región en el primer trimestre de 2001 a 9,4% en el mismo periodo de este año, la más alta de América Latina desde 1980. Según cálculos, la tasa anual llegará este año a 9,8%, impulsada por casos agudos como el de Argentina, donde la desocupación es de 23%, y el de Venezuela.

El déficit de puestos de trabajo aumenta en América Latina debido a la recesión económica observada desde el tercer trimestre de 2001, cuando el producto interno bruto regional comenzó a caer. En el primer trimestre de 2002, el PIB regional se contrajo 3,6%, una brusca baja respecto del primer trimestre del año anterior, cuando se registró un crecimiento de 2,2%.

La preocupación de la OIT se debe a que la recesión se profundizó en los primeros tres meses de este año, y fue incluso mayor a la del cuarto trimestre de 2001, cuando la contracción fue de 1,6 %.

AMÉRICA LATINA: DESEMPLEO URBANO 2000-2001 (TASAS MEDIAS ANUALES)		
PAÍS	**2000**	**2001**
Argentina (*)	15.1	17.4
Brasil	7.2	6.2
Chile	9.4	9.5
Colombia	17.2	18.7
Costa Rica	5.3	5.8
Ecuador	14.9	11.0
El Salvador (*)		
Honduras		
México	2.2	2.4
Nicaragua (*)		
Panamá	15.3	16.6
Paraguay		
Perú	7.4	9.5
R. Dominic. (*)		
Uruguay	13.4	15.4
Venezuela	14.1	13.9

Las estimaciones del desempleo para el año en curso, indican un ligero aumento del 0,5% con relación al 2001 en tanto se prevé un crecimiento del producto regional del 1,5%. Se estima un desempleo para el conjunto de la región del 8,8% en el año 2002.

Fuente: OIT. Panorama Laboral, 2001.
(*) La ausencia de algunos países en el cuadro que incluye a la región caribeña, obedece a la falta de datos correspondientes a los años 2000 y 2001.

Debate

¿Qué soluciones se pueden proponer para la activación de puestos de trabajo en Latinoamérica? ¿Cuáles son las principales funciones de la OIT?
Puedes consultar la web de la OIT (Organización Internacional del Trabajo) http://www.ilo.org/public/spanish/index.htm

En esta unidad aprendes a...

■ **Expresar seguridad sobre lo que se dice**

    Estoy seguro de que...
    Estoy convencido de que...
    No me cabe la menor duda de que...

■ **Expresar reservas o dudas**

    No lo veo tan claro.
    Tengo mis dudas.
    Tengo algunas reservas al respecto.

■ **Expresar ignorancia sobre algo**

    Pues no lo sé.
    No estoy informado.
    Lo ignoro, no estuve en la reunión.

■ **Remitir a algo (información, documentación, etc.)**

    Según conversación telefónica...
    Según el informe de la Unión Europea relativo a...
    Como verán en el folleto adjunto...
    Tal y como quedamos en la última reunión...
    A la vista de los resultados obtenidos...

■ **Expresar necesidad o conveniencia**

    Bajo mi punto de vista, lo más importante es destacar...
    Sin lugar a dudas, es conveniente...
    Lo más necesario sería...

■ **Introducir excepciones**

    Estoy a favor de todo lo que se ha dicho hasta ahora, excepto en lo que respecta al punto 6.
    Menos el Director de comercio exterior, todos estuvimos de acuerdo.

■ **Expresar cantidades indeterminadas**

    ► En banca ha bajado la satisfacción del cliente casi un dos por ciento.

■ **Referirse a una parte del discurso**

    Otro sector que no hay que olvidar mencionar...
    En relación con el sector electrónico...

unidad 5

Imagen de marca y sectores económicos

1. ¿De qué sector hablamos?

1.1. Fijaos en el siguiente diagrama. ¿Qué palabras conocéis relacionadas con los sectores indicados?

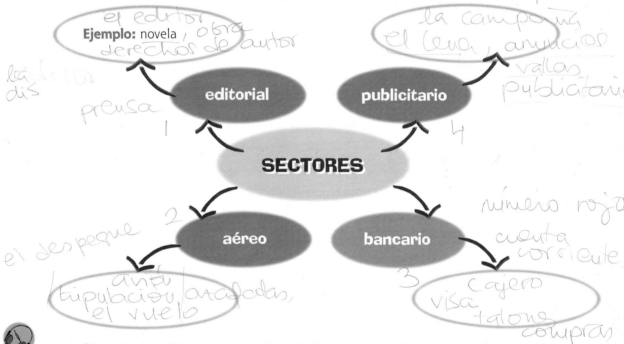

Handwritten annotations:

Ejemplo: novela

editorial — el editor, obra, derechos de autor

publicitario — la campaña, el lema, anuncios, vallas publicitarias

aéreo — el despegue, tripulación, azafatas, el vuelo

bancario — número rojos, cuenta corriente, cajero, visa, talones, compras

la lista, dis, prensa

[20] **1.2.** Escucha los diálogos y completa el diagrama anterior con las palabras que guardan relación con cada uno de los sectores.

1.3. Éstas son las palabras que has escuchado, ¿las has escrito todas?

✔ novela	✔ tripulación	✔ avión	✔ azafatas
✔ despegue	✔ saldo	✔ piloto	✔ campaña
✔ derechos de autor	✔ vuelo	✔ cajero	✔ lema
✔ anuncios	✔ editor	✔ números rojos	✔ talón
✔ vallas publicitarias	✔ obra	✔ cuenta corriente	

1.4. Elige uno de los sectores anteriores.

¿Qué empresa de las siguientes crees que pertenece al sector elegido? Márcala con un círculo.

1.5. Pregunta a tu compañero sobre el sector al que pertenece alguna de las anteriores empresas. Pregunta y responde según los ejemplos.

Usa las expresiones que aparecen en el apartado *Fíjate*.

Aquí tienes los nombres de algunos sectores:

- sector de alimentación
- sector bancario
- sector editorial
- sector turístico
- sector textil

- sector de servicios
- sector automovilístico
- sector energético
- sector de juguetería
- sector hotelero

- sector financiero
- sector inmobiliario
- sector de telecomunicaciones
- sector de transportes

manufacturen
industria

sector de muebles y electrodomésticos

Ejemplo:
- ► Estoy seguro de que COMSA pertenece al sector aéreo, ¿tú qué crees?
- ▷ Pues, yo no lo veo tan claro.
- ► ¿Crees que *Imaginarium* pertenece al sector de publicidad?

Para expresar seguridad sobre lo que se dice, puedes usar:
Estoy seguro de que...   Estoy convencido de que...
No me cabe la menor duda de que...

Para expresar reservas o dudas, puedes usar:
No lo veo tan claro.   Tengo mis dudas.

Para expresar ignorancia sobre algo, puedes usar:
Pues no lo sé.   No estoy informado.   Lo ignoro.

2. Merco: índice español de reputación corporativa

Merco es el primer *ranking* español que clasifica las 50 compañías y directivos españoles que gozan de la mejor reputación en el mundo empresarial entre todos los sectores económicos.

2.1. Éstas son algunas de las variables utilizadas por diferentes índices de reputación. Entre todos, seleccionad las 6 que os parezcan que miden mejor la reputación de las empresas. Podéis añadir otras.

	Mis votos	Resultados de la clase
• Calidad de gestión	☐	☐
• Solidez financiera	☐	☐
• Innovación	☐	☐
• Calidad de los productos o servicios	☐	☐
• Prudencia en el uso de los activos corporativos	☐	☐
• Inversiones a largo plazo	☐	☐
• Habilidad para atraer a la gente con talento	☐	☐
• Responsabilidad social y medioambiental	☐	☐
•	☐	☐
•	☐	☐

2.2. Explicad a vuestros compañeros las coincidencias y divergencias entre vuestra selección y los resultados de la clase.

Ejemplo:

- **Yo he coincidido plenamente con** los resultados de la clase.
- **Excepto/Menos en** el factor de innovación, con el resto de criterios he coincidido con la clase.
- **Según los resultados obtenidos/A la vista de los resultados obtenidos**, los factores que deberían medir la reputación corporativa son...

- ***Excepto*** y ***menos*** se usan para introducir excepciones.
- ***Según*** y ***a la vista de*** se usan para remitir a una información, documentación, etc.

2.3. Escucha la información de Radio Economía. Las variables que se escuchan son las del Índice Merco, ¿puedes indicar cuáles son?

[handwritten: calidad laboral / cultura corporativa
Resultados económica-financieros
del producto
Investigación y desarrollo
personal
ética la responsabilidad social
comparativa]

[21]

2.4. Volved a escuchar la audición y tomad nota del número de personas entrevistadas y de la valoración que dan a las diferentes variables, ¿coincide con los resultados de la clase? Aquí tenéis las variables utilizadas por el Índice Merco.

N.º personas entrevistadas: _____	
Variables Índice Merco	*Valoración*
Resultados económico-financieros	
Calidad del producto o servicios	
Cultura corporativa y calidad laboral	
Ética y responsabilidad social corporativa	
Dimensión global y presencia internacional	
Innovación (investigación y desarrollo)	

http://www.5dias.com

3. El sector bancario: un destino deseable

3.1. Los sectores bancario y de distribución son los que cuentan con mayor prestigio. Vamos a leer a continuación cuáles son las posibles claves de esta valoración.

Carlota Fominaya entrevista a Ángel Córdoba, Director Gerente de RR.HH. del Grupo Caja Madrid. Relaciona las respuestas con las preguntas.

Desde su fundación, hace ya tres siglos, Caja Madrid ha sabido evolucionar hasta alcanzar una posición de privilegio a la hora de afrontar los importantes retos que se plantean en el nuevo milenio. Ángel Córdoba tiene el convencimiento de que los equipos y las personas son quienes realmente lo han hecho posible. "Nuestro modelo de gestión de recursos humanos pretende proporcionar un marco de desarrollo para las personas a lo largo de toda su vida profesional, en un contexto interno agradable, y esto se traduce inevitablemente en resultados".

a. Para llegar a estos resultados, ¿cómo debe ser hoy el perfil de la persona especializada en RR.HH.?

b. ¿Qué factores hacen que Caja Madrid se reconozca como una de las empresas españolas más deseables para realizar una carrera profesional?

c. ¿Qué hacen ustedes para disminuir el distanciamiento que existe entre el mundo empresarial y el académico?

d. Su red comercial constituye el grueso del empleo creado por la Caja (un 80% de empleados trabaja en sucursales) y de su oferta de empleo. ¿Cuál es el perfil del comercial ideal?

Adaptado de *Nuevo trabajo*, ABC

1. Valoramos la manera de adquirir y utilizar conocimientos, el orden y la claridad, el afán de logro y la orientación de resultados; la comprensión interpersonal, es decir, saber usar los tiempos de escucha y de respuesta ante un cliente, saber trabajar en equipo... En cualquier caso creemos fundamental que se identifique con el Grupo, que sea flexible y que disponga de iniciativa, impacto e influencia ante el cliente, que no le deje indiferente. Al fin y al cabo, somos una empresa de servicios, y ésa es nuestra diferencia vital con el resto del sector financiero.

2. De entrada, el 40 por ciento de las nuevas incorporaciones está compuesta por becarios. El grupo ofrece cada año la posibilidad de realizar estancias formativas dentro de la entidad. Durante los meses que duran las prácticas, los becarios tienen un seguimiento, tanto por parte de su tutor como por parte del equipo de RR.HH.

3. Depende de la compañía. Hay sectores en los que el conocimiento técnico del negocio es básico, y otros en los que no es tan esencial. El porcentaje suele ser de un 40% de conocimientos técnicos del negocio frente a un 60 de dirección de personas, aunque a veces el porcentaje se invierte.

4. Lo que se valora es un conjunto de factores, es decir, la existencia o no de una auténtica gestión integral de personas, indistintamente del grado de acierto y posibilidades de mejora existentes, como son la carrera profesional, la formación, el entorno de trabajo, el horario o la retribución. En nuestro caso, para estar en esos primeros lugares de la clasificación, hay que destacar el hecho de que el Grupo es la primera entidad financiera que estableció un sistema de valoración profesional por resultados, que influye en la retribución variable. Es imprescindible citar también como respuesta clave el papel de nuestras secciones sindicales de empresa. Su filosofía de diálogo y búsqueda de consenso, y su nivel de preparación e inquietud de avance profesional y social para con todas las personas incide directamente en la activación del proceso. También creemos en la oferta de un proyecto y de un empleo seguro, poco generalizado hoy en día.

 3.2. Completa los siguientes esquemas en relación con cada una de las preguntas.

Ejemplo:

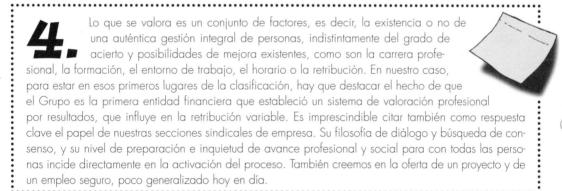

a. Hay sectores en los que el perfil de una persona especializada en RR.HH. es el de una persona que...

 – conoce *técnicamente el negocio.*

 – *dirige personas.*

b. ¿Cómo disminuyen la distancia entre el mundo empresarial y el académico?

Imagen de marca y sectores económicos

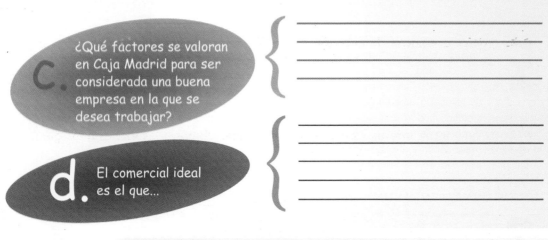

c. ¿Qué factores se valoran en Caja Madrid para ser considerada una buena empresa en la que se desea trabajar?

_____
_____
_____
_____

d. El comercial ideal es el que...

_____
_____
_____
_____

En a. y d. aparece la siguiente estructura:
- Hay *sectores* **en los que** el perfil de una persona especializada en RR.HH. es el de *una persona* **que...**
- El *comercial ideal* es **el que...**

La partícula **que** sirve en estas oraciones para ofrecer más información sobre el elemento que le precede. En cada caso: *sectores, persona, comercial*.
Que se puede utilizar con artículo (que concuerda en género y número con el antecedente) y con preposición.

3.3. **Pregunta a tus compañeros qué esperan de una empresa.**

Ejemplo:

▶ ¿Qué esperas de una empresa?
▷ Yo confío en una empresa en la que...
▶ ¿Cómo deben ser una empresa y sus directivos?
▷ A mí me gustan las empresas con directivos con los que...
▶ ¿Qué cultura de empresa te gustaría encontrar?
▷ Me gustaría trabajar en una empresa en la que la ética...

4. Situación de algunos sectores industriales de la economía española

4.1. **Escucha la siguiente información radiofónica sobre ocho sectores industriales. Trata de identificar los sectores y escríbelos en la primera columna de la siguiente tabla.**

[22]

Sectores	En alza	En crisis

4.2. Vuelve a escuchar la audición e identifica los sectores que están en alza o en crisis. Márcalos en la tabla de la actividad anterior.

[22]

4.3. Lee ahora la información que has escuchado. <u>Subraya</u> las expresiones que sirven para expresar cantidades indeterminadas. Fíjate en el ejemplo.

"El crecimiento esperado para la economía española presenta una <u>cierta</u> desaceleración con respecto al año pasado. Expertos de algunos sectores industriales nos explican lo más destacado de cada sector.

En el sector papelero, las perspectivas son bastante favorables y se esperan crecimientos por encima del 3,7% previsto para el producto interior bruto (PIB).

La actividad del sector textil, sin embargo, se ve afectada por la desaceleración de la demanda interior. Las fuertes elevaciones de costes: materias primas, energía, etc. preocupan a las empresas.

Otro sector con problemas es el del calzado, puesto que es previsible un descenso de la exportaciones.

En cuanto al sector del mueble, vemos que presenta en la actualidad un fuerte incremento de la facturación.

Respecto al sector automovilístico, hasta el mes de noviembre se habían matriculado el mismo número de turismos que el año anterior, pero desde mediados de año se ha detectado una ralentización en el consumo privado. Se cree que este sector finalizará el año con unas cifras de matriculación algo inferiores a las del año pasado.

El sector de alimentación es el primer sector industrial del país y uno de los más sólidos en crecimiento. El consumo interno ha mantenido un comportamiento bueno a lo largo de los seis primeros meses.

En relación con el sector electrónico y de comunicaciones, protagonista de las mejoras de productividad, crecimiento y estabilidad relativa a los precios de la economía española, podemos detectar que continúa disponiendo de un amplio margen de maniobra para seguir empujando la economía.

El sector químico cerró el ejercicio anterior superando ampliamente la facturación de años pasados y su aportación al producto interior bruto (PIB) industrial ascendió hasta el 8%, consolidándose como uno de los sectores básicos de la economía."

Jordi Goula, adaptado de *La Vanguardia*

4.4. Vuelve a leer el texto y marca con un círculo las expresiones que te sirven para introducir y referirte a los diferentes sectores. Observa los ejemplos.

Expresiones para introducir un tema y referirse a una parte del discurso:

• **otro** sector: se usa cuando se está tratando un tema y se introduce un segundo tema o añade información.

• **en relación con el** sector: se usa para introducir un tema que puede no haberse mencionado antes o que se ha mencionado como parte de un esquema y ahora se refieren a él para abordarlo más ampliamente.

4.5. Completad las siguientes tablas. Fijaos en las palabras que habéis marcado.

A. Expresiones para indicar cantidades indeterminadas:

Adjetivos

masculino singular	femenino singular	masculino plural	femenino plural
Algún	.... persona	.... sectores	.... personas
.... sentido común	.... producción	Bastantes sectores	.... cifras
.... rumor	Cierta desacelera-ción	.... sectores	.... personas

Otras expresiones para indicar cantidades indeterminadas:
- **Ningún/ninguna** + sustantivo: *ningún sector*
- **Casi todos/as** + artículo + sustantivo: *casi todos los sectores*

B. Expresiones para introducir y referirse a diferentes temas:

con respecto a...

[22]

4.6. ¿Qué palabra o palabras te han ayudado a detectar el estado de cada sector según el contexto escuchado? Vuelve a escuchar la audición 22.

Palabras que indican que un sector o una empresa está en desarrollo	Palabras que indican que un sector o una empresa está en crisis

5. Asociación española para la calidad: AEC

La Unión Europea ha promovido la implantación de un índice homogéneo de satisfacción del cliente. Mediante esta iniciativa, es posible comparar el nivel de satisfacción de los usuarios de un servicio e incluso comparar la evolución de los distintos sectores de actividad en cada uno de los países a lo largo del tiempo.

5.1. Observad y comentad las gráficas que tenéis a continuación, elaboradas por el Índice Europeo de Satisfación del Cliente (**ECSI**, *European Customer Satisfaction Index*) **y la AEC** (*Asociación española para la calidad*).

Índices de satisfacción por sectores

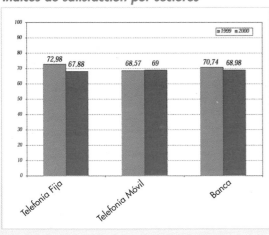

Telefonía móvil. Componentes del índice

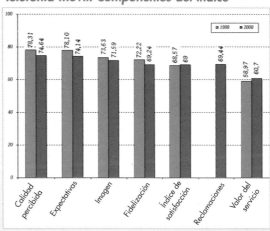

Telefonía fija. Componentes del índice

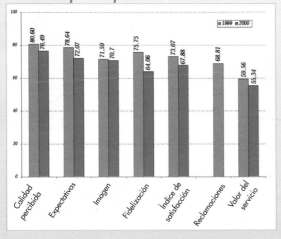

Entidades financieras. Componentes del índice

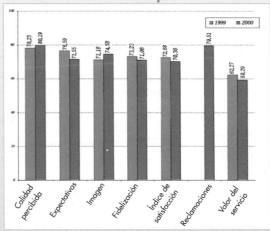

Ejemplo:

▶ En Banca ha bajado la satisfacción del cliente casi un dos por ciento.

▷ Sí. También ha bajado en Telefonía fija, incluso el doble de puntos, para ser exactos, cinco puntos.

▶ Vamos a ver ahora los componentes del índice para ver dónde incide directamente la bajada de puntos.

5.2. **Responded a las siguientes preguntas:**

- ¿Qué componente es el que despunta más en la comparativa entre el año 1999 y 2000?
- Según los diferentes componentes, ¿cuál de los tres sectores sale mejor parado?
- Bajo vuestro punto de vista, ¿a qué componentes concederíais mayor importancia en la valoración?

5.3. **Elaborad un texto para la revista de la AEC comentando esas gráficas y respondiendo a las preguntas anteriores. Utilizad los recursos lingüísticos vistos en esta unidad.**

6. En busca de mercados emergentes

6.1. **Las oportunidades de negocio en otros países o regiones llevan a algunos emprendedores a trasladarse en busca de mercados emergentes fuera de los tradicionales sectores económicos. Entre todos, enumerad algunos ejemplos de mercados emergentes en vuestros países.**

Ejemplo:
    Servicios a domicilio
    Productos ecológicos

6.2. **¿Cuál es el sector que más te atrae? Imagínate que te contratan para montar una empresa dentro de ese sector y te tienes que trasladar a otra ciudad o país, ¿cuáles son los primeros inconvenientes que pasan por tu mente?**

6.3. **Prepara 10 preguntas para formular a la directora de la empresa** *Barcelona Relocation Services.*
www.barcelona-relocation.com

Ejemplo:
    ¿Qué es más difícil, encontrar un piso céntrico o uno a las afueras?
    ¿Cree que es un problema encontrar un colegio para mis hijos?
    ¿Podría facilitarme la dirección de una buena escuela de idiomas para mejorar mi español?
    ¿Cree que sería un problema vivir a 15 kilómetros de la empresa?

Preguntas

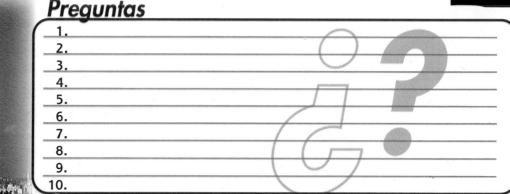

1.
2.
3.
4.
5.
6.
7.
8.
9.
10.

6.4. Imagina que eres la directora de la empresa y responde a las preguntas de tu compañero. Él va a responder a las tuyas como director de otra compañía de *relocation*.

Ejemplo:

▶ No, no lo es, lo difícil es encontrar un club deportivo si vive en las afueras. En el centro tiene varios donde elegir, según sus preferencias.

6.5. Completa las frases siguientes relacionadas con ese tema.

Ejemplo:
- Lo más difícil es encontrar piso en el centro de la ciudad.
- Encontrar una escuela de idiomas es lo más fácil.

- Lo importante es...
- Lo difícil puede ser...
- Lo increíble quizás es...
- Lo raro es...
- Lo maravilloso está en...
- Lo interesante es...
- Lo bonito es...

El artículo neutro *lo* no va nunca con nombres pero da valor de nombre a los elementos que acompaña.
Lo + adjetivo calificativo convierte el adjetivo en un nombre abstracto y el adjetivo adopta la forma masculina singular.

7. Preposiciones

Completa con una de las siguientes preposiciones: a, de, en, con, por y para.

1. .... la cabeza .... esta forma de turismo se encuentran Andalucía y Canarias.

2. El crecimiento esperado .... la economía española presenta una cierta desaceleración .... respecto .... el año pasado.

3. Este tipo .... inversión requiere disponer .... un sitio apropiado .... la maduración del vino.

4. Perdió un montón .... dinero .... seguir los consejos de Javier.

5. Está seguro .... que la empresa Chupa Chup pertenece .... (el) sector .... alimentación.

8. Escribe

Carta de comunicación de pago

8.1. Lee la siguiente carta de comunicación de pago.

ogata

Plaza del Realejo 3, 31007 Pamplona
Tel./Fax: 948 44 56 45 fogata@fogata.es

Preama, S.A.
Calle del Teatro, 21
31023 - Pamplona

Pamplona, 12 de febrero de 2003

Estimados señores:

Les comunicamos que hemos satisfecho el pago pendiente de su factura n.º 3476, con fecha de 6 de octubre de 2002, mediante transferencia bancaria a la cuenta que nos indicaron, correspondiente a la instalación de un cableado en la calle en la que se encuentra nuestra empresa.

Tal y como acordamos, la segunda parte del pago, correspondiente a su factura n.º 3477, les será abonada antes del 15 de marzo.

Atentamente,

Beatriz Seane

Beatriz Seane
Administradora

8.2. Escribe una carta para comunicar el abono de una cuenta pendiente. La factura es por la distribución de 750 cajas de vino de Ribera de Duero, cuyo pago se acordó en tres plazos, de los cuales ya han sido abonados los dos primeros.

En el texto debes incluir:

✔ *un saludo formal*

✔ *una introducción*

✔ *el núcleo (información sobre el pago)*

✔ *la conclusión (disculpas por el retraso del pago)*

✔ *una despedida formal*

Estas son algunas palabras y frases que te pueden ayudar a la hora de redactar este texto.
- Les comunicamos que con fecha_____, hemos efectuado una transferencia...
- Les comunicamos que hemos satisfecho el pago pendiente...
- Adjuntamos a esta carta un cheque por valor de _____ en calidad de pago por su factura...

La secuencia de dos vocales fuertes que no se pronuncian dentro de una misma sílaba, sino que forman parte de sílabas consecutivas se llama hiato.

Ejemplos del texto anterior: Re-a-le-jo; A-é-re-o; Te-a-tro

¿Puedes encontrar más hiatos en la carta anterior?

9. Diferencias culturales

Opinión sobre diferentes sectores económicos

9.1. Completa la siguiente tabla intentando reflejar tu opinión y la opinión más generalizada en tu país. Añade otros sectores.

Sector o servicio	Mi opinión En alza	En crisis	Opinión en mi país	Otros países que conozco
Energías renovables (eólica, solar...)				
Centrales atómicas				
Productos ecológicos				

9.2. Exponed a vuestros compañeros vuestro punto de vista y tomad nota de lo que ellos comentan sobre otros países que conocen.
¿Cuáles son las similitudes y las diferencias de vuestros puntos de vista?
Esta información os será útil a la hora de mantener una conversación con clientes o colegas de trabajo de otros países.

10. Lectura

La banca es el sector de mayor prestigio

10.1. De los sectores que se han mencionado en clase, ¿cuáles pensáis que tienen más prestigio? ¿Cuáles están más desvalorizados?

10.2. Marca si es verdadero o falso.

	verdadero	falso
1. Banca es el sector mejor valorado, seguido por el sector de distribución.	☐	☐
2. Los sectores de construcción e inmobiliarias han tenido buenos resultados económicos, por lo que han aumentado el número de empresas que se han incluido en el índice Merco.	☐	☐
3. Dentro del sector hotelero se han valorado positivamente la mitad de las empresas.	☐	☐
4. En Renfe e Iberia, tanto empresa como gestor están igualmente valorados.	☐	☐

10.3. Leed el siguiente texto relativo a los resultados del Índice Merco en 2001. Marcad las frases que respondan a la actividad anterior.

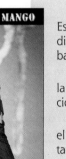

Finanzas y distribución son los sectores que cuentan con mayor reputación corporativa en España, según el índice Merco, elaborado a partir de las respuestas de un universo de 10 000 directivos de 2150 empresas. Telecomunicaciones, petróleo y gas, e informática siguen a banca y distribución en los sectores de mayor reputación.

Distribución cuenta entre sus filas con el fenómeno de El Corte Inglés, en primer lugar en la clasificación tanto de empresas como de gestores, con el ascenso de Zara y con la reputación, cada vez más valorada, de otros grupos como Mango o Cortefiel.

Ha extrañado la caída en la valoración de construcción, donde se pierden empresas que el año pasado sí aparecían en el *ranking*, o en inmobiliarias. Y ello, pese a los buenos resultados económicos y financieros de ambos sectores.

Destaca también la pujanza que ha cobrado el sector hotelero, que dobla el número de empresas valoradas en relación con el año pasado. En este caso, la variable de reputación más señalada ha sido la calidad producto-servicio. También cobran fuerza, por el número de empresas citadas, los sectores de alimentación y bebidas.

En contraposición al año pasado, en esta ocasión aparecen reflejadas en el *ranking* las escuelas de negocios, consideradas ya como auténticas empresas.

Respecto a los gestores más destacados por sectores, suele coincidir el responsable de la empresa más valorada con el gestor más valorado, aunque hay ocasiones en las que se produce cierto baile, como en construcción, farmacia o transportes. En este último, por ejemplo, Renfe es la empresa más reputada, pero el primer gestor es Xabier de Irala cuando la empresa que preside, Iberia, es la segunda del sector.

En telecomunicaciones dominan los gestores de Telefónica y destaca el ascenso de Luis Lada, de Telefónica Móviles, que se coloca tras el presidente de la matriz, César Alierta. En eléctricas, con respecto al año pasado, aumenta la reputación de Victoriano Reinoso.

Adaptado de *El País, Negocios*

10.4. ¿Coincide lo que dice el texto con vuestras hipótesis de la actividad 10.2.?

10.5. Pensad en sustantivos y adjetivos que indiquen prestigio o ascenso y desprestigio o descenso. Buscad también los que hay en el texto.

Tarea final

Una inversión en los mercados emergentes

1. **A continuación encontrarás información sobre sectores que están manifestando un especial desarrollo en el mercado español. Léelo detenidamente y contesta a las siguientes preguntas.**
Tienes que realizar una inversión de 200 000 euros:

a. ¿Qué sector te parece el más idóneo? ¿Cuál te da más confianza?

b. ¿Qué sector no te da mucha confianza?

c. ¿Sobré qué sectores necesitas más información para poder valorarlos?

Ocio y turismo

El turismo es el segmento de actividades que ofrece mayores oportunidades, y seguirá creciendo en los próximos años. Uno de sus principales nichos es el turismo activo, muy reciente en España (el 70% de las empresas especializadas en este tienen menos de 10 años) y para los tres próximos se esperan crecimientos sostenidos de entre el 5% y el 10% anual. A la cabeza de esta forma de turismo se encuentran Andalucía y Canarias, con un 12% de mercado cada una, seguidas de Cataluña (11%), Baleares (9%) y Madrid (8,2%).

Servicios a domicilio

Las empresas relacionadas con la comida rápida y a domicilio, recogida de la compra, tintorería, plancha, limpieza del hogar, atención a la infancia, etc. aumentan de forma espectacular y continuarán creciendo debido al cada vez mayor número de mujeres que trabajan fuera de casa y al número de hogares monoparentales. No hay que olvidar que en España sólo el 15% de los ancianos entre 65 y 79 años vive con alguno de sus hijos y una cuarta parte tiene algún tipo de dependencia en su vida diaria.

Medio ambiente

Según datos de la Fundación Entorno, el 92 % de los centros industriales españoles de menos de 20 trabajadores carece de política medioambiental. Sin embargo, las obligaciones legales impuestas a las empresas y la concienciación de los consumidores aseguran el auge de este mercado. En este segmento, las opciones de mercado pasan por la especialización: por ejemplo, en la recogida de aceites de embarcaciones en clubes náuticos, control de la contaminación acústica, así como estudios de clima laboral, etc.

Servicios para empresas

La subcontratación de servicios de empresas crecerá este año un 28%, según las previsiones de la Comisión Europea. En este segmento, los negocios a los que se augura mejor futuro son los servicios de transporte y mensajería, la asesoría financiera, fiscal y laboral y la consultoría informática y de telecomunicaciones. Otro mercado que surge en torno al mundo de las empresas es el de la organización de eventos: en los últimos cuatro años se ha multiplicado por dos el número de eventos organizados y el de participantes. También, las empresas dedicadas a facilitar ayudas a los ejecutivos que las compañías trasladan a otra ciudad o país, han experimentado un crecimiento en los últimos tres años.

Productos ecológicos

La agricultura ecológica está en expansión, ya que las empresas de distribución apuestan cada vez más por estos productos. Además, la exportación y el turismo están impulsando el crecimiento de este sector. El mercado más sólido se encuentra en las localidades que cuentan con mayor número de residentes extranjeros y de hoteles y establecimientos enfocados al ecoturismo.

Adaptado de la revista *Emprendedores*

2. **Poned en común vuestras opiniones.**

3. **Definid las características de la empresa dentro del sector en el que queréis invertir. Tened en cuenta las variables de los monitores de reputación para definirla. Sed también críticos e indicad los factores menos favorecedores.**

Ejemplo:

- Es una empresa **en la que** se invierte en...

- La calidad de los servicios es un factor **al que** dedicamos un 20% de nuestros recursos.

- **Lo más difícil** va a ser definir su ubicación, para atraer a personas con talento.

4. **Exponed en murales vuestro trabajo. Tomad nota de las propuestas de vuestros compañeros y comentad las posibilidades de éxito o fracaso de la inversión.**

Ejemplo:

- Las inversiones propuestas para el sector medioambiental no las veo muy claras, porque...

- A la vista de las propuestas de inversión en los servicios a domicilio, me inclino por...

- Me gustan bastante las propuestas para invertir en productos ecológicos, menos la que define la inversión como...

HISPANOAMÉRICA

1

[23]

En su viaje por tierras chilenas, María Delia ha percibido ciertas diferencias del lenguaje comparándolo con el español de España, país en el que vivió más de veinte años y, sin embargo, no ve demasiadas con el de su país, Argentina.

Antes de abandonar Chile, María Delia quiere informarse de las peculiaridades del español hablado en Chile.

Su amigo Jorge Solari no supo contestar a esas preguntas la noche anterior, durante la cena, pero le dio un CD en el que escucha lo siguiente:

Después de escuchar la información, puedes contestar a estas preguntas:

1. El diminutivo se usa bastante en Chile, ¿qué descubre sobre el talante chileno?
....

2. ¿Qué es un *pisco* o un *pisco saur*?
....

3. ¿Qué es una *once*?
....

4. ¿En qué país se bebe mucho *mate*?
....

2

Aquí tienes un artículo publicado en la revista chilena *Qué pasa* que lee María Delia en el autobús que la lleva al aeropuerto.

Cada alumno, A y B lee su apartado correspondiente.

En cada texto aparecen unas palabras destacadas. Relaciona cada una de ellas con el correspondiente término en español peninsular.

Imagen de marca y sectores económicos

Alumno A

A la caza de los europeos

¿Qué hacer si los argentinos ya no vienen a Chile? Capturar turistas europeos puede ser una alternativa. Y el Tratado de Libre Comercio con el Viejo Continente, una excelente arma de convencimiento.

Daniela Jorquera

Recién empezó el año, Chile sufrió un duro golpe turístico. Entre enero y mayo **arribaron** 238 mil turistas menos, se registró una **baja** de 27 % en comparación con el año anterior. La razón fue que de los clientes más importantes, los argentinos, sólo viajó un 55 % de los que tradicionalmente lo hacen. Las señales son **bien** claras. Ya no se puede descansar en la **arribada** habitual de los vecinos más cercanos. Y Brasil, Perú y Bolivia son países que, al menos **en el corto plazo**, no parecen un mercado seguro ni rentable.

"La caída que sufrimos durante este año demuestra la vulnerabilidad del mercado argentino y habla de la importancia de **enfocarnos** en los de larga distancia, como es el europeo", afirma Helen Kouyoumdjian, **gerenta general** de la Corporación de Promoción Turística (CPT). Por ello, tanto las miradas de los empresarios como las del Servicio Nacional de Turismo (Sernatur) y de la CPT apuntan al hemisferio norte.

No hay que olvidar que el país tiene varias ventajas, tanto por la esplendorosa naturaleza de su territorio como por la democracia estable y la seguridad que lo caracterizan. Lo que hace falta es venderse mejor. Establecer la marca "Chile" como sinónimo de tranquilidad, belleza y protección.

El interés por el desarrollo de la industria del turismo se explica debido al impacto económico que representa: los cerca de mil millones de dólares que genera como divisas pueden compararse con otros **rubros** tradicionales.

Para la mayoría de los empresarios, el TLC es positivo en cuanto a la promoción que le hace a Chile. La llegada de europeos tiene beneficios ya que gastan mucho más –por lo menos US$ 20 diarios extras que los argentinos– y se **quedan por** más tiempo.

Adaptado del artículo "A la caza de europeos" de la revista chilena *Qué pasa*

Completa el cuadro:

	Español de España	Español de Chile
1.	• dirigimos a	
2.	• nada más empezar el año	
3.	• la bajada / el descenso	
4.	• sector	
5.	• a corto plazo	
6.	• se quedan más tiempo	
7.	• llegaron	
8.	• muy claras	
9.	• directora general	
10.	• la llegada	

Alumno B

A la caza de los europeos

¿Qué hacer si los argentinos ya no vienen a Chile? Capturar turistas europeos puede ser una alternativa. Y el Tratado de Libre Comercio con el Viejo Continente, una excelente arma de convencimiento.

Daniela Jorquera

Para llegar al turista de fuera sobre lo que es Chile, el Servicio Nacional de Turismo (Sernatur) tiene pensado establecer oficinas turísticas abiertas a todo el público en España y, **prontamente**, en Alemania. Asimismo, quieren estar **a cada nada** visitando las ferias mundiales de turismo. En octubre próximo está organizada la reunión "Discover Chile", especialmente **enfocada** a tour operadores europeos para poder dar a conocer algunos negocios.

Los europeos, por lo general, no vendrán a buscar fiesta, sino a reencontrarse con la naturaleza tan esquiva en su continente. Según estudios de mercado hechos por algunas empresas turísticas y por las encuestas hechas por la Corporación de Promoción Turística (CPT) y Sernatur, la mayoría de los que sienten interés por Chile son europeos entre 35 y 55 años, con un alto nivel económico y cultural. "Han viajado **harto** por el mundo y andan buscando un turismo ecológico".

Hay que tener en cuenta algo de suma importancia y es el hecho de que hubo **reclamos** de algunos turistas **afuerinos en respecto a** la calidad del servicio y éste en un requisito a mejorar. Tanto los empresarios como los **personeros públicos** reconocen que es uno de los aspectos más débiles y que urgentemente se debe mejorar, dado que de lo contrario se perderán muchos turistas.

Pero la OMT confía en Chile. En el informe *Turismo: Panorama 2020-Las Américas*, el porcentaje de los viajeros de largo recorrido del mercado emisor –**vale decir** Europa, Estados Unidos y Asia– pasará de 27 a 31%. Quienes los recibirán serán los países del Caribe y del Cono Sur. Encabeza el listado Cuba. También registrarán incrementos importantes Argentina, Brasil, la República Dominicana y Chile.

Adaptado del artículo "A la caza de europeos" de la revista chilena *Qué pasa*

Completa el cuadro:

	Español de España	Español de Chile
1.	• dirigida	
2.	• muy pronto	
3.	• constantemente	
4.	• cabe decir / hay que mencionar	
5.	• extranjeros	
6.	• con respecto a	
7.	• quejas / reclamaciones	
8.	• representantes gubernamentales	
9.	• han viajado mucho	

Pymes

En esta unidad aprendes a...

■ **Referir contenidos de un texto o palabras de alguien emitidas en el pasado**

A mí me dijeron que más de la mitad de las pymes españolas no habían realizado nunca auditorías de sus sistemas.
Leí ayer que las pymes deberían invertir ahora en...
Cuando llegué a casa, tenía un mensaje en el contestador que decía...

■ **Expresar conclusiones**

Así que...

■ **Expresar acuerdo total o parcial con el interlocutor**

¡Tienes razón!
Estoy totalmente de acuerdo contigo.
¡Pues claro! Ésa es la solución, ¡bien dicho!
No estoy del todo de acuerdo con esa propuesta.

■ **Quitarle importancia a un asunto**

Pues a mí no me parece mal del todo.
No es para tanto.
¿Por qué le das tanta importancia?

■ **Evitar dar la opinión**

Prefiero no opinar.
Me reservo la opinión.
Eso tendría que pensarlo con más calma.

■ **Expresar la pertenencia**

Vuestras regiones son más ricas que la nuestra.

■ **Hacer sugerencias**

Pues yo, en esta situación, organizaría una reunión con todos los empleados y explicaría que...

unidad
6

1. Las pymes, una definición

1.1. Lee la siguiente definición de pyme. Fíjate en el vocabulario señalado.

¿Cómo saber que un negocio es una pyme?

Hay diversos criterios pero, en general, hasta ahora España se rige por una normativa europea de abril de 1996, según la cual, cumplen este requisito **empresas** con una **plantilla** igual o inferior a 250 personas y un **volumen de negocio** anual no superior a los 40 millones de euros o cuyo **balance** anual no exceda los 27 millones de euros. Además, no deberá estar participada en un 25% de su **capital** o del derecho a voto por una gran empresa. Pero la Comisión Europea está revisando su definición para fomentar la **competitividad** y evitar el mal uso de las **subvenciones**.

Adaptado de *Actualidad Económica*

1.2. ¿Podríais escribir una definición para cada término?

Ejemplo:
Empresa: es una sociedad mercantil que se dedica a la producción, comercialización, suministro o explotación de bienes y servicios con el fin de obtener beneficios.

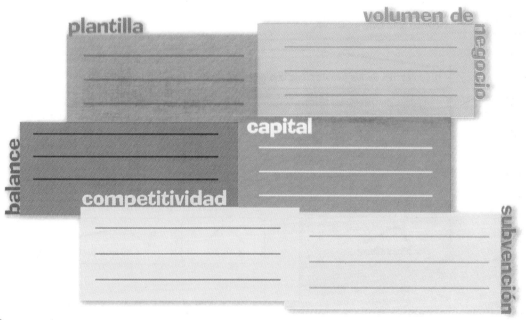

1.3. Haced una puesta en común para elegir las más adecuadas.

2. La normativa europea y las pymes

[24]

2.1. Escucha la conversación de tres eurodiputados españoles comentando los nuevos cambios de la normativa de pymes que pretende fomentar la competitividad y ser más justa en la adjudicación de ayudas.

Mientras escuchas, completa el siguiente cuadro:

Nuevas definiciones de pymes de la Comisión Europea

	Mediana empresa	Pequeña empresa	Microempresa
Número de empleados			
Volumen de negocio			

2.2. Presta atención a la siguiente explicación.

Entonación enunciativa

El colectivo de las pymes tiene una gran importancia en el tejido empresarial comunitario.

Para mí, es mejor que se introduzca el concepto diferenciador de microempresa.

Entonación exclamativa

¡Pues claro!

Entonación interrogativa

¿Ah sí?

¿Y tú qué piensas, Jordi?

[25]
Escucha las siguientes frases y, después, lee cada una en voz alta. Concéntrate en la entonación y complétalas con los signos de puntuación correspondientes (interrogaciones, exclamaciones o punto final). Después, clasifícalas.

1. Es el empleo de 74 millones de personas.

2. Debemos ser muy cautos.

3. Tienes razón.

4. A mí me parece bien considerar mediana empresa a la que tiene 250 empleados.

5. No sé.

6. Y tú qué opinas.

Entonación enunciativa	Entonación exclamativa	Entonación interrogativa

2.3. **Vuelve a escuchar el diálogo, léelo en voz alta al mismo tiempo que los protagonistas del diálogo. Debes seguir el mismo ritmo y la misma entonación que los tres eurodiputados españoles.**

[24] **Eurodiputado A:** El colectivo de las pymes tiene una gran importancia en el tejido empresarial comunitario y...

Eurodiputado B: ¡Pues claro! En Europa es el empleo de 74 millones de personas y, en nuestro caso, los catalanes estamos muy interesados en los nuevos parámetros, el 85,5% de nuestras empresas tiene menos de 10 trabajadores.

Eurodiputado A: Sí, sí y esto supone el 98% del total de empresas de la UE... y el 99% del tejido empresarial español, así que debemos ser muy cautos y reflexivos en la nueva definición... Las ayudas que recibirán los pequeños empresarios españoles y europeos dependerán de la nueva definición.

Eurodiputado B: A mí me parece bien considerar mediana empresa a la que tiene 250 empleados y un volumen de negocio no superior a 50 millones de euros.

Eurodiputado C: Nosotros, los del PNV, no lo vemos claro. ¡Decir que las pequeñas empresas son las de menos de cincuenta personas y una facturación de nueve millones...! ¡No sé! Nosotros preferiríamos mantener los siete millones de euros como hasta ahora... y muchas empresas no llegan a los nueve millones, pero no llegan por poco y... ¿y tú qué opinas?

Eurodiputado B: ¡Tienes razón! Nosotros tampoco lo vemos claro...

Eurodiputado A: Pues vuestras regiones son más ricas que la nuestra, así que para los gallegos... ¡Es más difícil! Estamos los tres de acuerdo. Todavía es peor para nosotros la definición de microempresa: las de menos de diez trabajadores y su volumen de negocio no supera el millón de euros...

Eurodiputado C: ¿Ah sí? Pues a mí no me parece del todo mal... Para mí, es mejor introducir el concepto diferenciador de microempresa. ¿Y tú qué piensas, Jordi?

Adaptado de *Actualidad Económica*.
Adaptado de *Emprendedores*.
http://europa.eu.int/index_es.htm

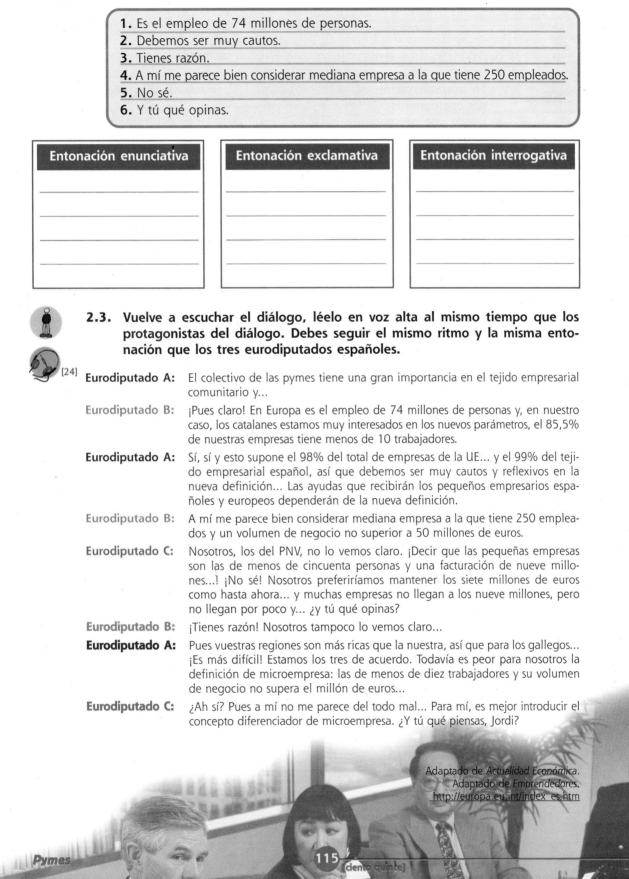

3. ¿Cómo son las empresas en las que trabajamos?

3.1. En la conversación de la actividad 2.1. el eurodiputado gallego les dice a sus compañeros: *"Vuestras regiones son más ricas que la nuestra".*
Desde una perspectiva gramatical, ¿qué podríamos decir sobre *la nuestra*?

> *La nuestra* se refiere a nuestra.....................
>
> La misma frase podría decirse con adjetivo posesivo + sustantivo: "Vuestras regiones son más ricas que ....".
>
> *La* es femenino singular concordando con .... Si quisiéramos hacer la comparación con femenino plural, es decir, *regiones*, usaríamos: "Vuestras regiones son más ricas que .... nuestras".

3.2. Completa el siguiente cuadro.

> el nuestro   los suyos
> el suyo
>   las nuestras   la suya
> la suya   las mías
> los mios   el suyo   los suyos
>   la vuestra   la mía   el vuestro
> la tuya
>   los tuyos   las vuestras   los nuestros
> el tuyo
>   las suyas   el mío   las suyas
> las tuyas   la nuestra   los vuestros

PRONOMBRES POSESIVOS

UN POSEEDOR		VARIOS POSEEDORES	
Singular	**Plural**	**Singular**	**Plural**

3.3. Busca entre tus compañeros aquéllos que trabajen en...

Nombre de alumnos	Mediana empresa	Pequeña empresa	Microempresa	Otras

Ejemplo:

▶ Paul: Mi empresa es una multinacional. En la fábrica donde trabajo, la plantilla es de 1200 empleados. Y la tuya, ¿qué tipo de empresa es?

▷ Marciva: ¡1200, es muchísima gente!, la mía es una empresa familiar holandesa. Somos 500 empleados y facturamos aproximadamente 100 millones de euros.

3.4. Con el trabajo realizado, haz un recuento sobre el tipo de empresa en la que trabajáis los compañeros de la clase. Escribe los datos, coincidencias, etc. más destacados. Si te interesa saber más sobre sus empresas, prepara preguntas para hacérselas a tus compañeros durante la puesta en común.

Revisa los contenidos temáticos aprendidos en las unidades 3 y 4 donde hablábamos de representantes sindicales, convenios, jornada de verano, etc.

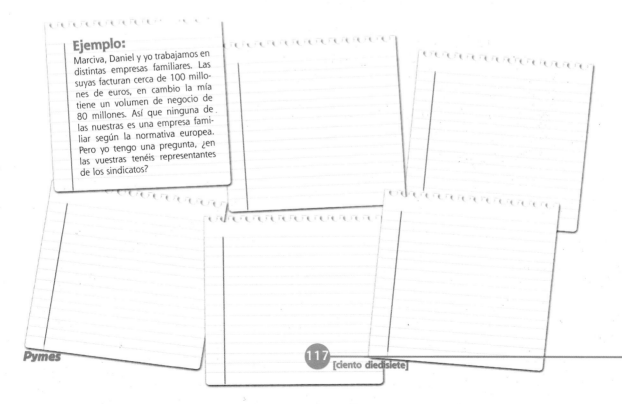

Ejemplo:
Marciva, Daniel y yo trabajamos en distintas empresas familiares. Las suyas facturan cerca de 100 millones de euros, en cambio la mía tiene un volumen de negocio de 80 millones. Así que ninguna de las nuestras es una empresa familiar según la normativa europea. Pero yo tengo una pregunta, ¿en las vuestras tenéis representantes de los sindicatos?

Se usa **así que** para sacar conclusiones.

3.5. Un compañero va a explicar sus resultados. Los demás tenéis que estar atentos y tomar notas de los datos que coincidan o no, para exponerlos a continuación y completar entre todos la presentación del panorama de la clase.

4. Las últimas noticias en la *web*

[26] **4.1.** Escucha la conversación entre el director de ventas y la directora financiera. Están comentando las noticias de la página *web* espaciopyme.com de ayer.

[26] **4.2.** Vuelve a escuchar la conversación y escribe los verbos que utilizan junto a cada noticia.

> **Siemens:**
>
> **El sector del** *renting*:
>
> **El ICEX y las Cámaras de Comercio:**

4.3. Ahora lee otras noticias aparecidas en la página *web* de espaciopyme.com. ¿Qué verbos se utilizan y en qué tiempos? ¿Son iguales que los que utilizan Juan y Silvia para hablar sobre las noticias?

NEGOCIO FERROVIARIO EN SIEMENS

El grupo Siemens compensará los problemas que tiene con el negocio de las telecomunicaciones e invertirá en el ferroviario.

EL SECTOR DEL RENTING CRECIÓ UN 20% HASTA JUNIO

Según la Asociación Española de Renting de Vehículos, el sector de vehículos de alquiler creció un 22,85% en el primer semestre del año.

INTERNET EN EL COMERCIO EXTERIOR

El ICEX y las Cámaras de Comercio analizan implicaciones de Internet en el comercio exterior.

Cuando reproducimos el mensaje que leímos o nos dijeron en el pasado utilizamos otros tiempos verbales.

4.4. Observando los diálogos y las noticias escritas (actividades 4.1., 4.2. y 4.3.), ¿puedes completar este cuadro con las correspondencias de los tiempos verbales?

Tiempos verbales del mensaje original	*Tiempos verbales del mensaje emitido en el pasado y reproducido*
1. • Presente ⟶	• ....
2. • Pretérito indefinido ⟶	• ....
3. • Futuro ⟶	• ....

4.5. Sentados todos en círculo, cada uno escribe qué dijo en estilo directo...

Ejemplo:

El director general dijo: "Somos los líderes del mercado".

Mi jefe en la última reunión:

– ....

En mi contestador automático el último mensaje de ayer:

– ....

Un cliente en la última comida de negocios:

– ....

Mi mejor colaborador:

– ....

El último mensaje electrónico de ayer:

– ....

4.6. Un alumno lee en voz alta uno de los mensajes que acaba de escribir en estilo directo, el compañero de la derecha reproduce el mensaje en estilo indirecto y a continuación lee uno de sus mensajes escritos. Lo reproduce el siguiente compañero y... ¡sigue la cadena!

Ejemplo:

El director general dijo que éramos los líderes del mercado.

5. Pymes, algunos problemas

5.1. Éstos son dos de los problemas más frecuentes que comentan los empresarios, consultores, políticos, etc. relacionados con el mundo de las pymes.

1. • La falta de gestión profesionalizada cuando se retira el primer impulsor del negocio.

2. • La falta de acuerdo sobre la gestión que suele existir entre los descendientes.

Te ofrecemos a continuación alguna de las soluciones propuestas hace algunos meses. Relaciona cada solución con el problema.

"Nosotros siempre hemos tenido socios y consejeros independientes para suplir la falta de experiencia."

Sr. Gelabert, de Construcciones Pirámides

"Queremos aprobar la *Constitución Verdel*, un protocolo familiar que regulará la sucesión. Todavía no tenemos problemas familiares, pero hay que preverlos."

Verdel, de la empresa Verdel

"Estamos elaborando una normativa que dará forma jurídica al protocolo familiar. Así solucionarán las empresas familiares problemas de sucesión, intercambio de acciones o las características exigibles a los miembros de una familia para poder tener poder ejecutivo."

"Hemos aprendido que antes no éramos tan profesionales como creíamos, cuando dimos entrada a socios externos por necesidades financieras."

Sr. Bordano, de Bordano y Cía

Sr. Gómez, secretario de Estado de Economía

Problema	Solución

5.2. **Explicad oralmente qué dijo cada uno de los expertos sobre los diferentes problemas. Prestad atención a los cambios gramaticales que debéis hacer.**

Alumno A

El Sr. Gelabert dijo que...
El Sr. Verdel dijo que...

Alumno B

El Sr. Bordano dijo que...
El Sr. Gómez dijo que...

¿Qué opináis de las decisiones tomadas por nuestros cuatro protagonistas?

Ejemplo:

Alumno A: El Sr. Gelabert dijo que para solucionar el problema de poca experiencia había tenido asesores externos. Yo creo que es muy arriesgado; a veces los asesores externos no conocen bien tu negocio y hacen análisis desviados.

Alumno B: No estoy del todo de acuerdo contigo; yo creo que buscar una perspectiva de alguien de fuera puede dar otra visión y nuevas soluciones.

Para expresar acuerdo total o parcial con el interlocutor, puedes usar:
- ¡Tienes razón!
- Estoy totalmente de acuerdo contigo.
- ¡Pues claro! Esa es la solución, bien dicho.
- No estoy del todo de acuerdo con esa propuesta.

Para evitar dar la opinión, puedes usar:
- Prefiero no opinar.
- Me reservo la opinión.
- Eso tendría que pensarlo con más calma.

Para quitarle importancia a un asunto, puedes usar:
- Pues a mí no me parece mal del todo.
- No es para tanto.
- ¿Por qué le das tanta importancia?

5.3. **Según vuestra propia experiencia, ¿cuáles fueron vuestros problemas o desventajas por el hecho de trabajar en una pyme o en una multinacional o en la administración pública o...? Escríbelos.**

Posibles problemas, desventajas...

Ejemplo: Cuando trabajaba en la empresa familiar con mi padre, los empleados no tenían confianza en mis decisiones, siempre dudaban de mí. Nuestra plantilla era de 50 personas.

1.

2.

3.

4.

Usa **cuando** para referirte a un punto o momento en el tiempo.

5.4. ¿Qué se dijo en las reuniones, en las comidas, en la cafetería, en la prensa sobre estos problemas? ¿Qué dijeron tus jefes, tus compañeros de trabajo, etc. para solucionarlos? Y tú, ¿qué dijiste? Escribe las soluciones propuestas.

Posibles problemas, desventajas

Ejemplo: Recuerdo que un día comenté el problema con mi padre y él me dijo que tenía que tener paciencia, que su jubilación solucionaría todos los problemas.

1.

2.

3.

4.

5.5. Explicad a toda la clase vuestros problemas y lo que se comentó en cada ocasión.
A continuación dad vuestra opinión: ¿cuál creéis que sería la solución o mejora a realizar?

Ejemplo:

Alumno A: Cuando trabajaba en la empresa familiar, con mi padre, una pyme de 50 personas, los empleados no tenían confianza en mis decisiones, siempre dudaban de mí. Recuerdo que un día comenté el problema con mi padre y él me dijo que tenía que tener paciencia, que su jubilación solucionaría todos los problemas.

Alumno B: Pues yo, en esta situación, **organizaría** una reunión con todos los empleados y **les explicaría que...**

Otros alumnos: _____
_____

El **condicional** se usa en la frase destacada en negrita para situarse en un plano hipotético y hacer sugerencias.

6. Europa y las pymes

Los diferentes países europeos impulsan la creación y el buen funcionamiento de las pymes. Aquí tenéis algunas de las iniciativas.

6.1. Trabajad en grupos. Cada uno de vosotros elige un país: Dinamarca, España o Irlanda.
Lee únicamente la información del país que has elegido.

Dinamarca

De qué se trata

La cultura empresarial es necesario fomentarla, especialmente entre la gente joven: hay que promover el espíritu de empresa en los programas de los colegios y procurar crear una imagen más positiva de los empresarios, incluidos los que no hubieran tenido éxito en un principio.

Esto debe ir respaldado por un material escolar y un equipamiento educativo adecuados.

Ejemplo de buenas prácticas

El Ministerio de Educación de Dinamarca ha lanzado un programa de promoción del espíritu de empresa en su sistema de educación. El programa se denomina «Plan de acción para la promoción de la cultura empresarial en Dinamarca: espíritu de empresa e innovación».

Durante un periodo de dos años, un 30%-40% de los jóvenes han recibido una formación en este ámbito, tanto en la escuela primaria y primera fase de la secundaria como en la universidad y la formación profesional.

Se han realizado 200 proyectos, lo que significa que se han constituido los equipos y materiales suficientes para todo el sistema de educación. Los profesores han recibido una formación específica en materia de espíritu de empresa.

Una evaluación del programa ha mostrado que, tras la citada acción de formación, los estudiantes se encontraban muy motivados para iniciar su propio negocio o para trabajar en una pyme.

Organismo

Ministerio de Educación de Dinamarca. Fomento de la cultura Empresarial.
Para eventuales contactos:
Paul Hannon
Tel. (44-116) 250 60 68
Fax (44-116) 250 60 69
E-mail: centforent@webleicester.co.uk

España

De qué se trata

Los «viveros» de empresas podrían hacer frente más eficazmente a sus problemas colaborando, a nivel nacional, con homólogos que se encuentran con las mismas dificultades en ámbitos importantes, tales como la calidad de los servicios o el fomento de la transferencia tecnológica.

Ejemplo de buenas prácticas

La Asociación Nacional de Centros Europeos de Empresas e Innovación Españoles (ANCES) ayuda a sus asociados a establecer mecanismos de cooperación entre las empresas asistidas por dichos centros, a intercambiar experiencias y modelos de referencia dentro de la red, a implantar una estrategia de calidad total y a aprovechar mejor el potencial de tecnología procedente de las universidades.

Coopera también en el nacimiento de nuevas empresas a partir de una empresa existente (*spin off*). Todo esto se consigue en gran parte gracias a la contribución directa de los asociados.

Organismo

Asociación Nacional de Centros Europeos de Empresas e Innovación Españoles.
Para más información: http://www.ances.com

Irlanda

De qué se trata

Un fenómeno positivo que se está produciendo en el sector bancario es la especial atención que se está prestando a las circunstancias particulares de las pymes. Unas prácticas más ágiles, y especialmente una «política de gestión de las relaciones» por parte del banco, no pueden sino redundar en beneficio de ambos. Para las pymes supone la ventaja de ser evaluadas según las posibilidades reales de la empresa y no con arreglo a una fórmula abstracta.

Ejemplo de buenas prácticas

La Unidad de apoyo a las empresas del Banco de Irlanda ha iniciado una política de gestión de las relaciones en beneficio tanto del banco como de sus clientes. Está complementada por una serie de servicios financieros y de asesoría enfocados a las circunstancias particulares de las empresas en fase de creación o desarrollo. Entre ellos están, por ejemplo, los préstamos «First Step» o de iniciación, que están libres de interés durante tres años.

Organismo

Bank of Ireland.
Para más información: http://www.bankofireland.ie (en el apartado sobre «business banking»).

6.2. Explica a tus compañeros la lectura correspondiente al país elegido. Para preparar tu presentación:

1. Selecciona las 5 palabras claves de tu lectura.

2. Selecciona los conectores del discurso que vas a necesitar para introducir un tema, para destacar algún punto, etc. (Repasa "En esta unidad aprendes a..." de las unidades anteriores).

¡Utiliza las 5 palabras claves y los conectores del discurso que has seleccionado en tu presentación!

6.3. Puesta en común. Valorad cada una de las iniciativas y decidid cuál es la mejor.

La mejor iniciativa entre las propuestas por los países europeos es la de...

7. Preposiciones

Completa con la preposición adecuada.

> a • con • en • de • para • por

1. La Comisión Europea está revisando su definición .... fomentar la competitividad.

2. Ellos facturan 100 millones *(1)*................... euros, *(2)*................... cambio nosotros 80 millones.

3. Los módulos *(1)*................... formación están diseñados *(2)*................... ayudar *(3)*................... los empresarios *(4)*................... analizar sus propias capacidades.

4. España se rige............... una normativa europea.

5. El grupo Siemens compensará los problemas que tiene *(1)*................... el negocio de las telecomunicaciones e invertirá *(2)*................... el ferroviario.

8 Escribe

Carta de reclamación

8.1. Lee la siguiente carta de reclamación.

Desvarío, S.L.
Vía de la Montería, 47
29010 Málaga

Pavía

Málaga, 2 de octubre de 2003

Muy señores nuestros:

Hacemos referencia a nuestra carta del pasado día 4 de septiembre. En ella les recordábamos que existe un saldo a nuestro favor de 678 euros.

Debido al tiempo transcurrido y puesto que no hemos tenido noticias suyas, esperamos recibir, a la mayor brevedad posible, el importe de dicha deuda. Para ello, nos pueden remitir un cheque nominativo a PAVÍA, S.A. a la dirección de nuestra compañía.

En espera de sus noticias, les saluda atentamente.

Rosalía Badía

Departamento de Finanzas

Pavía. S.A.   Calle Esperanto 3, 29007 Málaga   Tel./Fax: 952 23 67 91   pavia@pavia.es

8.2. Escribe una carta en relación a un pago no recibido.

Se le entregó la mercancía a un cliente en la forma convenida, pero el cliente no paga. Tienes la misión de recordar este pago al cliente.

En el texto debes incluir:

✔ un saludo formal
✔ una introducción
✔ el núcleo (información sobre lo reclamado)
✔ la conclusión (expresión de esperanza en recibir lo reclamado)
✔ una despedida formal

- Recuerda que en una carta de este tipo, la reclamación ha de ser muy explícita. Se debe indicar de forma muy precisa cuál es la irregularidad existente.

- El tono de la primera reclamación será cortés, porque desconocemos las causas verdaderas del incumplimiento. Podemos utilizar expresiones de este tipo:
    - **Al parecer...**
    - **Por causas que desconocemos...**
    - **Según parece...**

- En una segunda carta de reclamación, éstas son algunas palabras y frases que te pueden ayudar a la hora de redactar este texto.
    - **Debido a algún error, todavía no hemos recibido...**
    - **Confiamos recibir, a la mayor brevedad posible,...**

En un diptongo, si la vocal débil lleva acento tónico, entonces se destruye el diptongo y se pone el acento ortográfico en esa vocal débil:
Ejemplos del texto anterior: Pa-ví-a; Des-va-rí-o; Ví-a.

¿Puedes encontrar más palabras en las que se rompe el diptongo?

9. Diferencias culturales

Las empresas familiares

9.1. Lee la información sobre la situación de las empresas familiares en España y en el mundo.

Las empresas familiares

La propiedad, el control y la dirección o gestión de la empresa son los tres elementos que intervienen a la hora de definir la empresa familiar. Sería deseable converger en una definición que comprendiera tanto a las empresas familiares como a las sociedades familiares, crear una referencia clara del concepto para concretar su marco legal.
.Asimismo, las ventajas que la legislación establezca a favor de las empresas familiares y el propio reconocimiento social que pueda fomentarse servirán para estimular la iniciativa empresarial y aumentar el número de vocaciones emprendedoras.

Situación de las empresas familiares en España

- El número estimado de empresas familiares en España es de un millón y medio.
- El 20% de las 1 000 empresas más grandes son familiares.

- El 65% de las empresas españolas son familiares.
- Suponen aproximadamente el 65% del P.I.B.
- Suponen el 80% del empleo privado.
- Emplean a más de 8 millones de personas.
- Realizan el 60% de las exportaciones.
- Entre el 10-15% de las fundadas llegan, siendo familiares, a la tercera generación.

Importancia de las empresas familiares en el mundo

Familia Farga

- En la Unión Europea, 17 millones de empresas familiares emplean a 100 millones de personas.
- En la Unión Europea, más del 60% de las empresas son familiares.
- En la Unión Europea, sobre las 100 primeras empresas, un 25% son familiares.
- Las empresas familiares generan entre el 40% y el 60% del producto interior bruto en Estados Unidos.
- El 35% de las Fortune 500 son compañías familiares.
- El 50% de los empleos en Estados Unidos está generado por compañías familiares.
- En Gran Bretaña, de las 8 000 compañías más grandes, el 76% son familiares.

Información de *www.ipyme.org*

9.2. **Haced grupos y expresad vuestro acuerdo, desconocimiento, interés, etc. sobre la información anterior. Comentad también cuál es la situación de la empresa familiar en vuestro país.**

9.3. **Puesta en común: haced un resumen de lo que habéis comentado.**

10. Lectura

Más sobre empresas familiares

10.1. Entre todos, enumerad los retos que puede tener una empresa familiar y cuáles pueden constituir factores de éxito.

Ejemplo:

Retos: Encontrar capital para crecer sin diluir el control familiar.
Factores de éxito: La calidad de los productos y el servicio.

10.2. Lee la siguiente información.

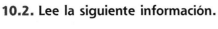

Retos de las empresas familiares

✔ Encontrar capital para crecer sin diluir el control familiar.

✔ Resolver los conflictos entre las necesidades de liquidez de la familia y el negocio.

✔ Planificar para resolver los problemas financieros del cambio generacional.

✔ Vencer la resistencia de los *seniors* a dejar sus puestos en el momento oportuno.

✔ Procurar que el sucesor familiar sea competente.

✔ Superar las rivalidades entre hermanos en la no aceptación del sucesor.

✔ Tener la capacidad para atraer y retener a directivos *seniors* no familiares.

Factores de **éxito**

✔ Calidad de productos / servicios.

✔ Flexibilidad.

✔ Planificación a largo plazo.

✔ Ambiente empresarial familiar.

✔ Ser innovadores y emprendedores.

Información de *www.ipyme.org*

10.3. Marca con una cruz si las afirmaciones siguientes son verdaderas o falsas.

	verdadero	falso
1. Los conflictos entre hermanos son un motor dinamizador muy positivo.	☐	☐
2. La tradición lleva al éxito.	☐	☐
3. El ambiente empresarial familiar es un freno en el crecimiento de una empresa familiar.	☐	☐
4. No es necesario fidelizar a los directivos no familiares.	☐	☐
5. Una buena planificación a largo plazo puede asegurar el éxito.	☐	☐

10.4. Entre todos, contrastad el contenido del texto con los retos y factores de éxito que habéis reflejado en 10.1.

Tarea final

Enfocar el crecimiento y renovación de una pyme

"El rincón natural"

Hace cuatro años creaste con tu hermano "El rincón natural", tienes 70 años y tu hermano tiene 66. Vivís en Alcoy (Alicante).

Empezasteis como una pequeña empresa familiar con 5 trabajadores, vuestra razón social es Artesanía y Naturaleza, S.A. Os dedicáis a la herboristería, dietética y cosmética natural, un sector en crecimiento en España.

Actualmente tenéis una red de 80 establecimientos sólo en España.

Ahora como pyme tenéis algunos problemas (sucesión –tenéis 3 hijos cada uno–, financiación –nuevo socio inversor, salida a bolsa–, renovación tecnológica, formación del personal, etc.) y queréis la ayuda de una consultoría o de un asesor.

1. **Dividid la clase en dos grandes grupos, unos representan a la empresa y otros a los consultores. Estos dos grandes grupos trabajarán en pequeños grupos de dos o tres estudiantes. Seguid las instrucciones.**

empresa

grupo

Pensad en los problemas que puede tener un negocio de estas características y preparad una transparencia explicando cada uno de los problemas. Para preparar esta actividad y negociar la presentación, utilizad los recursos lingüísticos para expresar acuerdo, evitar dar la opinión sobre un tema del que no estáis seguros, quitarle importancia a un tema, sacar conclusiones...

consultor

grupo

Ya conocéis el planteamiento de la empresa. Preparad la reunión con propuestas concretas. Para preparar esta actividad, utilizad los recursos lingüísticos para expresar acuerdo, evitar dar la opinión sobre un tema del que no estáis seguros, quitarle importancia a un tema, sacar conclusiones...

- *Nuestra propuesta se centra en el potencial que despierta el mercado extranjero... Nos manifestaron que su interés se encontraba en...*

2. **Elaborad un memorando interno que explique el contenido de la reunión.**
   Ejemplo:
   - El Sr. Alex Murcia nos comentó que...
   - La asesora de la consultoría María Pinto le quitó importancia al hecho de que...

3. **Exponed en las paredes de la clase el memorando. ¿Cuál es la propuesta más viable?**

1

María Delia ha vuelto a su oficina de Río de Janeiro y estará dos días en Brasil. Su próximo destino es Venezuela; en estos momentos está leyendo un *dossier* sobre Venezuela.

En el *dossier* de María Delia, su secretaria le ha incluido una dirección de Internet: <u>Caribbean-trip.com</u> Esta empresa podría ser una plataforma muy útil para organizar sus cursos de formación para ejecutivos en Venezuela. Ahora está abriéndola y se dispone a escuchar un archivo de sonido.

[27] **1.1.** Escucha con María Delia este archivo y completa la siguiente tabla:

En España se dice...	*En Venezuela se dice...*
• Impuesto sobre el valor añadido (IVA)	• ....
• El equipo de dirección	• ....
• Sector	• ....
• Envío	• ....
• Reserva	• ....

1.2. Entre todos, ¿podéis hacer un resumen de lo que es Caribbean-trip?

2 Mientras María Delia escuchaba el archivo, ha recibido un correo electrónico de la secretaria de dirección, Margarita Sabina, de *Venezuela Verde*, otra empresa que se posiciona como posible socio venezolano. Le envían una información interesante sobre las pymes en Hispanoamérica.

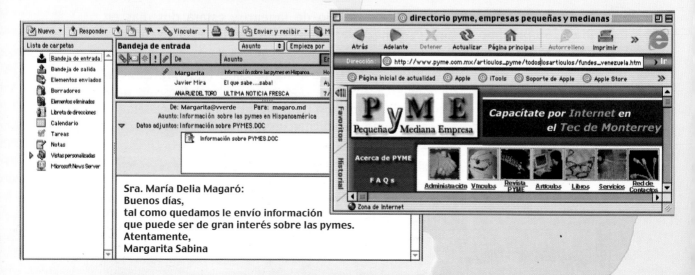

Sra. María Delia Magaró:
Buenos días,
tal como quedamos le envío información
que puede ser de gran interés sobre las pymes.
Atentamente,
Margarita Sabina

Ahora, cada estudiante debe leer solamente la información A o la información B. Después, explica a tu compañero las ideas importantes de la información que has leído.

 Alumno A

Información A

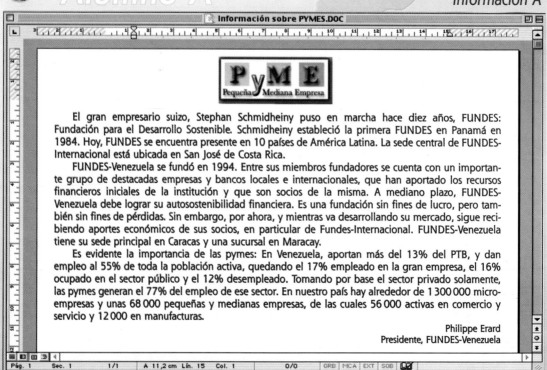

> El gran empresario suizo, Stephan Schmidheiny puso en marcha hace diez años, FUNDES: Fundación para el Desarrollo Sostenible. Schmidheiny estableció la primera FUNDES en Panamá en 1984. Hoy, FUNDES se encuentra presente en 10 países de América Latina. La sede central de FUNDES-Internacional está ubicada en San José de Costa Rica.
>
> FUNDES-Venezuela se fundó en 1994. Entre sus miembros fundadores se cuenta con un importante grupo de destacadas empresas y bancos locales e internacionales, que han aportado los recursos financieros iniciales de la institución y que son socios de la misma. A mediano plazo, FUNDES-Venezuela debe lograr su autosostenibilidad financiera. Es una fundación sin fines de lucro, pero también sin fines de pérdidas. Sin embargo, por ahora, y mientras va desarrollando su mercado, sigue recibiendo aportes económicos de sus socios, en particular de Fundes-Internacional. FUNDES-Venezuela tiene su sede principal en Caracas y una sucursal en Maracay.
>
> Es evidente la importancia de las pymes: En Venezuela, aportan más del 13% del PTB, y dan empleo al 55% de toda la población activa, quedando el 17% empleado en la gran empresa, el 16% ocupado en el sector público y el 12% desempleado. Tomando por base el sector privado solamente, las pymes generan el 77% del empleo de ese sector. En nuestro país hay alrededor de 1 300 000 microempresas y unas 68 000 pequeñas y medianas empresas, de las cuales 56 000 activas en comercio y servicio y 12 000 en manufacturas.
>
> Philippe Erard
> Presidente, FUNDES-Venezuela

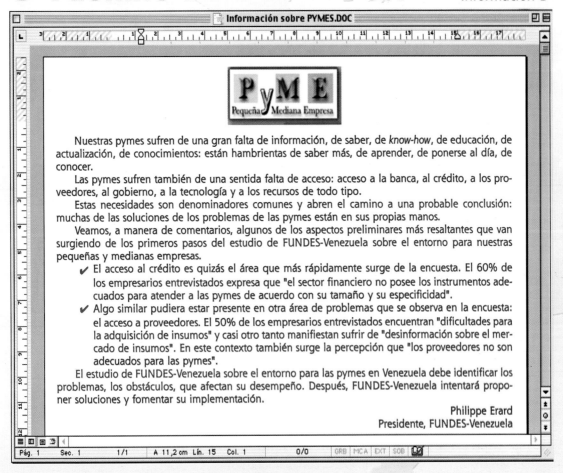

Información sobre PYMES.DOC

PyME
Pequeña y Mediana Empresa

Nuestras pymes sufren de una gran falta de información, de saber, de *know-how*, de educación, de actualización, de conocimientos: están hambrientas de saber más, de aprender, de ponerse al día, de conocer.

Las pymes sufren también de una sentida falta de acceso: acceso a la banca, al crédito, a los proveedores, al gobierno, a la tecnología y a los recursos de todo tipo.

Estas necesidades son denominadores comunes y abren el camino a una probable conclusión: muchas de las soluciones de los problemas de las pymes están en sus propias manos.

Veamos, a manera de comentarios, algunos de los aspectos preliminares más resaltantes que van surgiendo de los primeros pasos del estudio de FUNDES-Venezuela sobre el entorno para nuestras pequeñas y medianas empresas.

✔ El acceso al crédito es quizás el área que más rápidamente surge de la encuesta. El 60% de los empresarios entrevistados expresa que "el sector financiero no posee los instrumentos adecuados para atender a las pymes de acuerdo con su tamaño y su especificidad".

✔ Algo similar pudiera estar presente en otra área de problemas que se observa en la encuesta: el acceso a proveedores. El 50% de los empresarios entrevistados encuentran "dificultades para la adquisición de insumos" y casi otro tanto manifiestan sufrir de "desinformación sobre el mercado de insumos". En este contexto también surge la percepción que "los proveedores no son adecuados para las pymes".

El estudio de FUNDES-Venezuela sobre el entorno para las pymes en Venezuela debe identificar los problemas, los obstáculos, que afectan su desempeño. Después, FUNDES-Venezuela intentará proponer soluciones y fomentar su implementación.

Philippe Erard
Presidente, FUNDES-Venezuela

Pág. 1   Sec. 1   1/1   A 11,2 cm Lín. 15   Col. 1   0/0   GRB MCA EXT SOB

Con la información de tu compañero y la tuya, determina si son verdaderas o falsas las siguientes afirmaciones:

		verdadero	falso
1.	Fundes existe en Brasil.	☐	☐
2.	Fundes se autofinancia, no necesita ayuda del estado.	☐	☐
3.	Lo menos preocupante para los empresarios es su acceso al crédito.	☐	☐
4.	Las soluciones a los problemas de las pymes están en manos del estado.	☐	☐
5.	El 50% de los empresarios tiene dificultades con los proveedores.	☐	☐

Debate
Análisis comparativo entre la situación de las pymes en Europa y Latinoamérica. Situación, realidad, problemas y soluciones, ¿iguales para todos o diferentes?

La banca y la bolsa

En esta unidad aprendes a...

BOLSA   DE   MADRID

- **Expresar satisfacción**
  Me encanta que estemos ganando cuota de mercado.

- **Expresar desagrado**
  Me molesta que alguien llegue tarde a la oficina.

- **Expresar valoraciones**
  Es verdad que no hay suficientes cajeros automáticos.
  Es lógico que quiera ahorrarse las colas de espera del banco.

- **Expresar desacuerdo**
  No creo que tengamos que negar la eficacia de la banca *on line*.
  No es verdad que vayamos a salir a bolsa antes de Navidad.
  No es importante que esté abierto por la tarde los sábados.

- **Expresar sugerencias**
  Te sugiero que lo pagues todo con la tarjeta de crédito.

- **Presentar una respuesta señalando cierta inseguridad**
  ► ¿Qué quiere decir "dividendo"?
  ▷ Creo que...

- **Describir una reacción de sorpresa o extrañeza**
  Me parece raro que pidamos el préstamo por internet.

- **Expresar la opinión con probabilidad**
  Es posible que tengamos que acostumbrar a los clientes a...
  No es probable que cambien de sucursal.
  Puede ser que necesitemos un producto más personalizado.

- **Expresar una reacción de pena**
  Es una lástima que no lean las cartas que enviamos.

unidad 7

La banca y la bolsa

1. La nueva banca

 1.1. En el diálogo que vas a escuchar, dos personas comentan el uso que hacen de la banca en Internet. Antes de escuchar, comentad el significado de:

movimientos bancarios
hacer transferencias
comprar acciones
domiciliar recibos

 [28] **1.2.** Escuchad el diálogo y anotad otros servicios bancarios.

 [28] **1.3.** Vuelve a escucharlo y completa los espacios vacíos.

1. No me gusta que mi información bancaria *(1)*........ accesible a *piratas*.

2. Prefiero que un empleado me *(2)*............. un papel del extracto, me *(3)*.................... cuáles son las posibilidades de sus productos, etc.

3. Me encanta que el banco *(4)*................. todas las operaciones.

4. Es fantástico que *(5)*.............. hacer transferencias.

5. Me molesta que un empleado *(6)*................. al banco, y *(7)*............... el tiempo.

> ### PRESENTE DE SUBJUNTIVO REGULAR
>
> Hablar: hable, hables, hable, hablemos, habléis, hablen.
> Vender: venda, vendas, venda, vendamos, vendáis, vendan.
> Recibir: reciba, recibas, reciba, recibamos, recibáis, reciban.

En la actividad 1.3. todos los verbos pertenecen al **presente de subjuntivo**.

2. ¡Habéis llegado al subjuntivo!

 Vamos a practicar su forma en la siguiente encuesta.

encuesta   encuesta   encuesta   encuesta   encuesta

encuesta

✔ **¿Qué sabes del subjuntivo?**
Relacionad cada verbo con su infinitivo.

Sea •   • dar
Dé •   • explicar
Explique •   • ser
Haga •   • perder   **Puntos: ..../7**
Podamos •   • poder
Vaya •   • hacer
Pierda •   • ir

✔ **Completa la siguiente tabla.**

SER	SEA					
DAR		DES				
			PIERDA		PERDÁIS	
HACER				HAGAMOS		
PODER	PUEDA				PODÁIS	
IR						VAYAN
EXPLICAR	EXPLIQUE					
VENDER		VENDAS				
ESCRIBIR			ESCRIBA			

Puntos: ..../44

✔ **Los verbos irregulares en el presente de indicativo, son irregulares en** ....

Puntos: ..../1

✔ **La vocal del presente de subjuntivo**

- En la terminación de los verbos acabados en -AR, el presente de subjuntivo se forma con la vocal ....
- En la terminación de los verbos acabados en -ER, el presente de subjuntivo se forma con la vocal ....
- En la terminación de los verbos acabados en -IR, el presente de subjuntivo se forma con la vocal ....

Puntos: ..../3   ● ● ● ● ➤

encuesta   encuesta   encuesta   encuesta   encuesta

•••• ➤

encuesta

✔ **Escribe la forma de presente de subjuntivo que se pide.**

1. Comprar .... yo _____
2. Invertir .... ellos _____
3. Bajar .... ella _____
4. Subir .... él _____
5. Reducir .... ellas _____
6. Ofrecer .... vosotros _____
7. Ganar .... nosotros _____
8. Perder .... yo _____
9. Diversificar .... él _____
10. Crecer .... ellas _____

Puntos: ..../10

○ Si habéis contestado correctamente menos de 20, debéis practicar mucho, mucho más la construcción del presente de subjuntivo.

○ Si habéis contestado correctamente entre 20 y 37, debéis seguir practicando la construcción del presente de subjuntivo.

○ Si habéis contestado correctamente 65, ¡felicidades! Sabéis mucho sobre el subjuntivo. Practicad ya su uso.

En el diálogo de la actividad 1.1 se ha usado:
- **No me gusta**
- **Prefiero**
- **Me encanta**   **+ que +** presente de subjuntivo
- **Es fantástico**
- **Me molesta**

3. La nueva banca (2)

3.1. En la actividad 1 hemos conocido diferentes servicios que ofrecen los bancos españoles en Internet.
Completa la siguiente lista. Si necesitas ayuda, puedes consultar las siguientes páginas: www.patagon.com o www.ebankinter.com

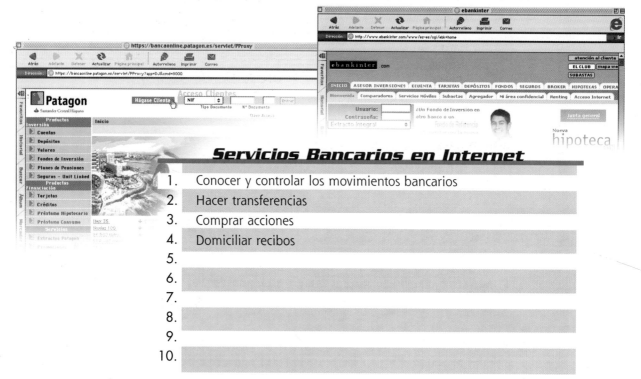

Servicios Bancarios en Internet

1. Conocer y controlar los movimientos bancarios
2. Hacer transferencias
3. Comprar acciones
4. Domiciliar recibos
5.
6.
7.
8.
9.
10.

3.2. Comparad vuestras listas. Completadlas con los servicios que no tengáis.

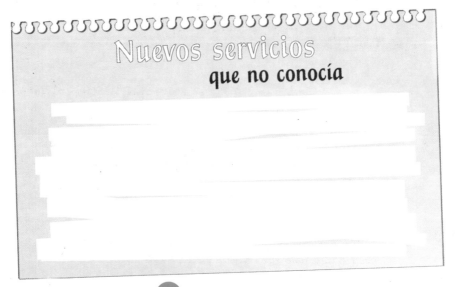

Nuevos servicios que no conocía

3.3. Ahora comentad los servicios que os parecen más útiles, más utilizados y los que desaparecerán de la red. Argumentad vuestra opinión y contrastad-la con vuestros compañeros. Utilizad las expresiones siguientes:

Creo que
Pienso que
Es verdad que
Es cierto que
Está claro que
Está visto que

+ *presente de indicativo*

No creo que
No pienso que
No es verdad que
No es cierto que
No está claro que

+ *presente de subjuntivo*

- Es importante / No es importante
- Es increíble
- Es lógico / No es lógico
- Es necesario / No es necesario
- Es mejor
- Es posible / No es posible

+ que **+** presente de subjuntivo

3.4. Seleccionad los tres servicios más utilizados por vosotros y los que nunca utilizaréis.

Los tres servicios que más utilizamos

Los tres servicios que nunca utilizaremos

3.5. Comentad estos seis servicios argumentando y debatiendo vuestras opiniones. Recuerda: ¡el subjuntivo te ayudará!

4. El cliente

4.1. Escucha los siguiente diálogos y relaciónalos con la situación correspondiente.

Situación	Información sobre fondos de pensiones	No ha recibido la transferencia y necesita el dinero para pagar la fianza del piso	Reclamación de una comisión	Petición de préstamo personal
Diálogo				

4.2. ¿Has estado alguna vez en alguna de las situaciones de la actividad anterior? Coméntalo con tus compañeros.

4.3. Explica 3 experiencias difíciles que hayas tenido con tu banco. Si nunca has tenido problemas, escucha a tus compañeros y toma nota.

Escucha los problemas de tus compañeros y ofréceles soluciones.

* Te sugiero
* Te recomiendo
* Busca (...)
* Es mejor

+ que + presente de subjuntivo

Ejemplo:

► No me ha llegado la trasferencia de mi banco después de una semana.

▷ Te sugiero que lo pagues todo con la tarjeta de crédito.

► Busca un banco que sea más efectivo y responsable.

5. Tendencias de inversor

5.1. Lee los siguientes titulares. Busca en el diccionario el vocabulario nuevo y completa la columna "Vocabulario nuevo". A continuación escribe su traducción a tu idioma, un sinónimo en español de esa palabra nueva, una definición en español o dibuja una imagen que te ayude a recordar la palabra nueva o…

CERCA DE 1 500 INVERSORES ESPAÑOLES CUENTAN CON FONDOS QUE ASUMEN RIESGOS DERIVADOS DEL TIPO DE CAMBIO

Una nueva tendencia: participar en fondos que cubran el riesgo de divisa

El IBEX35
cae arrastrado por las bolsas europeas

La banca ética
se abre paso

Los valores tecnológicos se recuperan lentamente tras las declaraciones del presidente estadounidense

Titulares adaptados de *La Vanguardia, El Periódico, La Actualidad Económica* y *Ganar.com*.

Vocabulario nuevo	Traducción a mi idioma / Sinónimo en español / Definición en español

5.2. Lee las siguientes noticias y relaciona el titular con el cuerpo de la noticia.

1. La crisis bursátil y las vacaciones congelan la venta de fondos en agosto

2. RENTABILIDAD POR DIVIDENDOS DE LA BOLSA ESPAÑOLA

3. Las 35 del Ibex pierden hasta junio 1 863 millones

a. Las empresas que forman el Ibex 35 registraron durante los seis primeros meses de este año unas pérdidas de 1 863,25 millones de euros, lastradas por los números rojos de Telefónica y de su filial de móviles, debido a la congelación de sus proyectos de UMTS en Europa.

http://es.biz.yahoo.com/todonoticias.html

b. Los partícipes en fondos de inversión se han tomado en serio las vacaciones. La actividad en agosto ha sido inexistente y sólo el vencimiento de algunos garantizados dejó unas salidas netas de 331 millones de euros. En términos brutos, el repunte bursátil permitió un aumento de 186 millones.

http://www.expansiondirecto.com/edicion/noticia/0,2458,180169,00.html

c. Las empresas cotizadas en el Mercado Continuo pagaron 3 844,86 millones de euros en dividendos a sus accionistas en el primer semestre, lo que supone una reducción del 3,92%, aunque ello no impide que la bolsa española siga siendo una de las que mayor rentabilidad por dividendo ofrece, por delante de la americana o la japonesa.

http://www.labolsa.com/noticias/

5.3. ¿Has aprendido vocabulario nuevo? Añade el vocabulario aprendido ahora a la tabla de la actividad 5.1.

Para saber el significado, pregunta a tus compañeros de clase y después todos juntos comprobad el significado.

Ejemplo:

Alumno A: ► ¿Sabes qué significa "dividendo"? / ¿Qué quiere decir "dividendo"?
Alumno B: ▷ No tengo ni idea. / Creo que es...
Alumno A: ► ¿Ah sí?
Alumno B: ▷ Pienso que sí, pero no estoy seguro de que sea...

5.4. Imaginad que sois periodistas de una revista económica.
Elegid los tres titulares sobre la actualidad de la bolsa española. Podéis buscar ayuda en la sección económica de los periódicos que creáis más importantes. Redactad una breve noticia para los titulares elegidos. Antes de empezar a escribir, seleccionad tres palabras nuevas que utilizaréis en cada noticia.
Recordad: cuando hayáis escrito los artículos, revisad la ortografía aprendida en las unidades anteriores. Incluid también todas las herramientas aprendidas para ordenar el discurso.

5.5. Cada grupo lee una noticia en voz alta. Toma nota de los titulares y algún detalle del contenido. Los grupos que han elegido la misma noticia deben ampliar su contenido. Todos vamos a corregir los problemas relacionados con la lengua española que detectemos.

Las noticias de mis compañeros	Contenido
1.	
2.	
3.	
4.	
5.	

Para mejorar el español...

1.		6.	
2.		7.	
3.		8.	
4.		9.	
5.		10.	

5.6. Entre toda la clase decidimos cuál es la noticia mejor presentada y redactada.
Para expresar tu opinión, recuerda usar todas las formas posibles.

Ejemplo:

► Yo creo que la mejor noticia es...
▷ Pues a mí no me parece que lo sea. Me parece raro que no diga / explique...
► Es mejor que las noticias sean / tengan...
▷ Es necesario que explique / hable sobre / trate...

6. Valores para invertir

6.1. Lee la información correspondiente al alumno A o al alumno B.

Alumno A

INVERTIR BIEN

INDRA

Contrato. La empresa tecnológica española ha firmado un importante contrato en China por importe de 48 milones de euros para suministrar un centro de simulación aéreo. El valor sigue arrojando uno de los mejores resultados entre las empresas del Ibex en lo que va de año.

30,83%
VARIACIÓN 2000

CUÁNTOS ANALISTAS RECOMIENDAN...

COMPRAR	
72,73%	
M	
22,27%	
V	
0%	

TELEPIZZA

Volatilidad. A pesar de las buenas vibraciones que el valor suscita entre los analistas, en las últimas semanas las ventas se han apoderado de la cotización ante los retrasos en la puesta en marcha de los planes de comercio electrónico anunciados por la compañía. Mantiene, no obstante, una notable ganancia.

42,38%
VARIACIÓN 2000

CUÁNTOS ANALISTAS RECOMIENDAN...

COMPRAR	
53,85%	
M	
23,07%	
V	
23,08 %	

TERRA

En mínimos. La filial de Telefónica en Internet sigue en mínimos del año muy cerca de los 40 euros y con pocos visos de salir del túnel de bajadas. El mercado sigue penalizando el alto precio pagado por la americana Lycos, aunque los analistas destacan el potencial que presenta la compañía a largo plazo.

VARIACIÓN 2000
-18,21%

CUÁNTOS ANALISTAS RECOMIENDAN...

COMPRAR	
55,56%	
M	
33,33%	
V	
11,11 %	

M = mantener
V = vender

Extraído de *Actualidad Económica*

INVERTIR BIEN

ACESA

A la baja. La concesionaria Acesa ha iniciado en los últimos días una ampliación de capital gratuita para sus accionistas de una acción nueva por cada 20 antiguas, que se extenderá hasta el próximo 5 de julio. El valor no atraviesa un buen momento en bolsa y ha mermado la ligera ganancia anual que acumulaba.

VARIACIÓN 2000

-4,15%

CUÁNTOS ANALISTAS RECOMIENDAN...
COMPRAR
75%
M
25%
V
0%

NH HOTELES

Resistencia. El valor encuentra una fuerte resistencia en la cota de los 13 euros, que en algunas ocasiones le lleva a caer hasta los 10 euros. No obstante, su futuro a medio plazo es optimista y los expertos recomiendan, en su mayor parte, tomar posiciones para aprovecharse de sus buenas expectativas.

2,42%

VARIACIÓN 2000

CUÁNTOS ANALISTAS RECOMIENDAN...
COMPRAR
88,24%
M
11,76%
V
0 %

IBERDROLA

Freno. Las grandes compañías eléctricas deberán congelar parte de sus inversiones previstas como consecuencia de las medidas contra la inflacción aprobadas recientemente por el Ejecutivo. Es el caso de Iberdrola, cuya cotización se ha resentido en los últimos días por este motivo, limando su ganancia anual.

0,15%

VARIACIÓN 2000

CUÁNTOS ANALISTAS RECOMIENDAN...
COMPRAR
54,17%
M
34,78%
V
11,05 %

M = mantener; V = vender

Extraído de *Actualidad Económica*

6.2. Explica a tu compañero cuáles son tus opciones de inversión.

6.3. Decidid en cuáles invertiríais y por qué.

- **Es conveniente / No es conveniente**
- **Es una lástima / No es una lástima**
- **Es raro / No es raro**
- **Es imposible / No es imposible**
- **Es probable / No es probable**
- **Puede ser / No puede ser**

+ que + presente de subjuntivo

6.4. Entre toda la clase preparad un *ranking* de estos seis valores. Argumentad vuestras opciones.

La banca y la bolsa

7. Preposiciones

Completa con la preposición adecuada.

> en • a • con • desde • de / del • para

1. Pagaron 3 844,86 millones *(1)*................... euros *(2)*................... dividendos *(3)*........................ sus accionistas *(4)*........................ el primer semestre.

2. Abrí *(1)*................ ustedes una cuenta *(2)*................. su oficina *(3)*............ hacer una transferencia *(4)*................ la cuenta *(5)*....................... mi país y he visto *online* que todavía no me ha llegado.

3. Cerca *(1)*.............. 1 500 inversores españoles cuentan *(2)*...................... fondos que asumen riesgos derivados *(3)*.................. tipo *(4)*..................... cambio.

8. Escribe

8.1. Lee la siguiente carta, donde se comunica el cambio de domicilio de la empresa y la domiciliación de recibos a la entidad bancaria.

Banco Banín
Agencia 53
Dpto. de cuentas

Castellón, 2 de enero del 2003

Muy Sres. míos:

Por la presente les comunicamos el cambio de domicilio de nuestra razón social Findecat, S.A.

Desde el 1 de febrero de este año nuestra nueva dirección será:

C/ Palmarés n.° 54

05004 Castellón

España

Les agradeceremos que envíen la correspondencia a la nueva dirección a partir del mencionado mes.

Igualmente, les rogamos admitan al cobro desde el mes próximo los recibos de la Compañía General de Agua, FECSA y Telefónica que recibirán con cargo a Findecat S.A., n.° de cuenta 88/58/67024 que la empresa tiene abierta en su entidad.

Un cordial saludo,

María Cordobés
Jefa de administración de Findecat, S.A.

Findecat, S.A.   C/ Palmarés n.° 54   05004 Castellón   España

8.2. Escribe una carta comunicando a tu banco el cambio de número de teléfono y fax. Asimismo, deberás informarles también de que paguen los recibos correspondientes a la nueva línea telefónica.

Recuerda que el escrito debe ser claro y formal y debe incluir todos los datos necesarios (nuevo número telefónico, n.º de cuenta, la razón social, fecha, etc.) para que la oficina bancaria pueda realizar la operación que le pides.

- **¿Recuerdas la explicación de la unidad 1 sobre las sílabas que se pronuncian con mayor intensidad?**
  Decía: "En cada palabra de más de una sílaba, en español, como en la mayoría de los idiomas, hay una sílaba que se pronuncia con más intensidad que las demás: es la sílaba tónica".

  Las palabras agudas son las que tienen la última sílaba tónica.

- **Lee en voz alta:**
  General, recibirán, Castellón, será, razón, cordobés, palmarés.

- **¿Por qué unas tienen tilde o acento ortográfico y otras no, si todas son agudas?**
  Llevan tilde sólo las agudas de más de una sílaba acabadas en vocal (será) **o en las consonantes** –n (recibirán) **o** –s (cordobés).

9. Diferencias culturales

9.1. Haz una pequeña presentación sobre la banca y la bolsa en tu país. Aquí tienes algunas sugerencias.
¡Sólo son sugerencias, añade todos los temas que te parezcan interesantes!

Sugerencias

- ✔ Los bancos más prestigiosos en mi país son................
- ✔ Los mejores servicios bancarios son.................
- ✔ No tenemos los siguientes servicios bancarios:.......................
- ✔ A diferencia de otros países que conozco, los bancos y banqueros no son/ tienen...................
- ✔ Hay..............bolsas en las ciudades de...............................
- ✔ Los principales valores bursátiles son................................
- ✔ El perfil del inversor es................................

9.2. Escucha a tus compañeros y completa las siguientes fichas:

País: ....

No sabía que:	Ya sabía que:
1.	1. ....
2.	2. ....

País: ....

No sabía que:	Ya sabía que:
1.	1. ....
2.	2. ....

País: ....

No sabía que:	Ya sabía que:
1.	1. ....
2.	2. ....

9.3. Haced preguntas a vuestros compañeros sobre aquellos temas que tengáis más curiosidad y comentad vuestra impresión sobre lo que os han explicado.

• Es / No es curioso
• Es / No es interesante
• Es / No es importante
• Es / No es lógico   } + **que** + presente de subjuntivo
• Es / No es muy extraño
• Está bien / No está bien
• Es terrible / No te parece terrible

10. Lectura

10.1. ¿Conocéis los fondos éticos, solidarios o ecológicos? ¿Qué aceptación tienen en vuestro país? ¿Son rentables?

10.2. Lee el siguiente texto.

Para invertir con la moral por delante

Los fondos éticos, solidarios o ecológicos mueven en España
106 millones de euros de 6 000 inversores.

Luis Aparicio

No difieren del resto de fondos de inversión. Compran bonos o acciones con la lógica intención de que se revaloricen y puedan así ofrecer una ganancia a sus partícipes. La rentabilidad potencial es un motor en su gestión, pero no el único, y eso les hace distintos al resto de fondos de inversión.

Los fondos éticos, solidarios o ecológicos cuentan con una vida de sólo dos años en el mercado español y a finales del pasado ejercicio movían 106 millones de euros de casi 6 000 inversores. Un dinero que se reparte en 15 fondos, divididos en tres tipologías: fondos éticos y solidarios, fondos ecológicos y fondos solidarios.

Los fondos éticos y solidarios incluyen en su programa de inversiones el principio que en términos generales va encaminado a no invertir en empresas que atenten contra los derechos humanos. Además, la gestora del fondo dona una parte de la comisión de gestión a distintas instituciones benéficas y organizaciones no gubernamentales (ONG). Si una gestora cobra una comisión del 2%, de ese porcentaje, dona de media el 0,6%. El inversor también tiene la opción de elegir la entidad benéfica u ONG a la que se destine el dinero de la comisión que la gestora de fondos deja de percibir. En los fondos ecológicos no se suelen realizar donaciones –salvo el DB Ecoinvest– y en su ideario figura la inversión en empresas que sean respetuosas con el medio ambiente o que, decididamente, se dediquen al cuidado del entorno medioambiental.

Por último, los fondos solidarios también destinan parte de la comisión de gestión a entidades benéficas, pero no tienen ninguna atadura en sus normas de funcionamiento: invierten con total libertad moral.

Esta división es fruto de la autorregulación que se dio la propia industria de fondos de inversión a finales de 1999. Sin embargo, son mucho más populares en otros países de mayor tradición en la gestión de fondos y más pendientes del destino que los gestores dan al dinero de sus partícipes.

Cuestión de rentabilidad

Los fondos éticos que se comercializan en España ofrecieron en los últimos 12 meses (hasta marzo de 2001) rentabilidades muy diferentes. Predominan los de renta fija mixta que invierten principalmente en bonos con un porcentaje pequeño de acciones, seguidos por los mixtos internacionales. El ecológico Ahorro Corporación Arco Iris encabeza las ganancias con una rentabilidad del 22,69%, mientras que otro ecológico como el DB Ecoinvest ha perdido en ese periodo el 3,57%. La pericia del gestor está, pues, por encima de la naturaleza propia del fondo.

Le sigue por rentabilidad el BBVA Solidaridad con una revalorización del 14,65%, mientras que El Monte Fondo Solidario conseguía en ese periodo una ganancia para sus clientes del 1,48%.

Texto adaptado de *El País.com*

10.3. Vais a trabajar en parejas. Para ello, primero preparad, por separado, de cinco a ocho preguntas sobre comprensión del texto. Una vez preparadas, formula esas preguntas a tu compañero, que tiene que responderlas sin mirar el texto.

10.4. Ahora que ya conocéis cómo se gestionan estos fondos en España, ¿podríais decir cómo se gestionan en vuestro país? ¿Cuáles son los más rentables o de mayor aceptación?

Tarea final

La banca ética

La banca ética va tomando cuerpo en todo el mundo. ¿Os gustaría ser los impulsores de un proyecto de estas características?

1. **Definid el tipo de banco ético que pensáis que tendría éxito. Debéis:**

- Elegir un nombre.
- Decidir el país donde lo pondríais en marcha.
- Elaborar un decálogo que explique vuestra filosofía empresarial.
- Describir el perfil de vuestros clientes.
- Elaborar la descripción de los productos y servicios que ofreceréis a vuestros clientes, con una valoración de los mismos.
- Elaborar una estrategia para conseguir inversores.
- Diseñar formato y contenido de un folleto publicitario explicativo.

En esta parte del proyecto te serán muy útiles todas las expresiones que has aprendido del subjuntivo para expresar tu opinión y discutir con tus compañeros. ¡Utilízalas!

2. **Presentad al resto de la clase vuestro proyecto.**

3. **Mientras escuchas a tus compañeros, toma nota de lo que dicen y completa el siguiente cuadro.**

Nombre del proyecto y autores	Puntos fuertes del proyecto	Puntos débiles del proyecto

4. **Después de escuchar a todos los grupos. Decidid cuál es el proyecto más viable (no podéis elegir el vuestro) y argumentad vuestra opinión usando los recursos lingüísticos vistos en la unidad.**

HISPANOAMÉRICA

HISPANOAMÉRICA

1

Mientras María Delia espera en el aeropuerto, camino de Caracas, abre su cuenta de correo electrónico. Tiene un correo de Margarita Sabina, la secretaria de dirección de *Venezuela Verde*.

Lee el correo. Pero... la impresión del mensaje no es buena y no se puede leer bien. ¿Qué crees que han escrito en las zonas ilegibles?

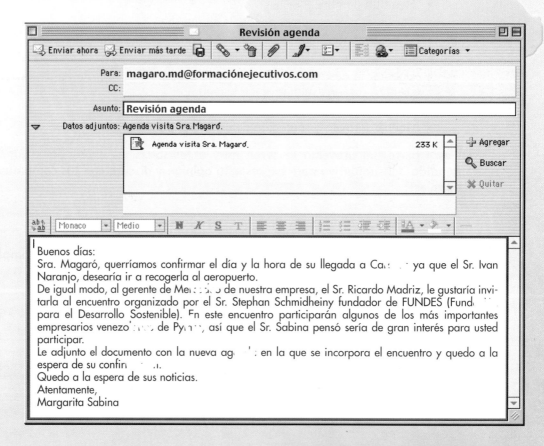

Revisión agenda

Enviar ahora   Enviar más tarde   Categorías

Para: magaro.md@formaciónejecutivos.com
CC:
Asunto: Revisión agenda
Datos adjuntos: Agenda visita Sra. Magaró.

Agenda visita Sra. Magaró.   233 K   Agregar
                                                          Buscar
                                                          Quitar

Monaco   Medio   N K S T

Buenos días:
Sra. Magaró, querríamos confirmar el día y la hora de su llegada a Ca   ya que el Sr. Ivan Naranjo, desearía ir a recogerla al aeropuerto.
De igual modo, al gerente de Me   de nuestra empresa, el Sr. Ricardo Madriz, le gustaría invitarla al encuentro organizado por el Sr. Stephan Schmidheiny fundador de FUNDES (Fund para el Desarrollo Sostenible). En este encuentro participarán algunos de los más importantes empresarios venezo   de Py   así que el Sr. Sabina pensó sería de gran interés para usted participar.
Le adjunto el documento con la nueva ag   en la que se incorpora el encuentro y quedo a la espera de su confir   .
Quedo a la espera de sus noticias.
Atentamente,
Margarita Sabina

2

[30]

María Delia Magaró ya está volando hacia Caracas. En estos momentos está escuchando por sus auriculares del avión un reportaje sobre la ciudad de Caracas. Escucha tú el reportaje, observa las fotografías y ordénalas según el orden de aparición en el reportaje.

FOTO 1

FOTO 3

FOTO 5

FOTO 2

FOTO 4

Orden de mención de los lugares de Caracas	N.º de foto	N.º de foto	N.º de foto	N.º de foto	N.º de foto

3 María Delia ha llegado a Caracas. Se encuentra con el señor Naranjo, su futuro socio y gerente de *Venezuela Verde*, que la estaba esperando. Se ven por primera vez.
Aquí tienes la conversación, pero... ¡es un caos! ¿Tu compañero y tú podéis ordenarla?

– M.ª Delia Magaró: ¡Bárbaro!, ¡muy bueno! Quería agradecerle que me haya venido a buscar, es muy gentil de su parte.

– Iván Naranjo: Buenos días, Sra. Magaró. Sí, sí soy Iván Naranjo. Bienvenida. ¿Cómo fue el viaje?

– M.ª Delia Magaró: Como quiera, pero no es necesario, puedo dar un paseo.

– Iván Naranjo: [En el coche, camino de la ciudad] Ya vamos a llegar al hotel Caracas Hilton. Es un hotel muy bueno, está muy bien ubicado, posee vista panorámica al hermoso Parque los Caobos y al imponente Cerro El Ávila.

1. – M.ª Delia Magaró: ¿El Sr. Iván Naranjo?

– Iván Naranjo: Ha sido un placer. Bueno, ahora, ¿podemos ir al estacionamiento? Vine en mi carro, Caracas no está lejos de aquí pero se necesita el carro, son aproximadamente 35 minutos...

– M.ª Delia Magaró: Gracias. Hasta mañana.

– Iván Naranjo: Sí, sí. El Caracas Hilton se encuentra en el corazón financiero y cultural de la ciudad, ¡está como a 5 minutos caminando! Pero mañana si quiere la paso buscando.

– M.ª Delia Magaró: Perfecto. ¿Y está cerca de la oficina?

– Iván Naranjo: Mª Delia, hasta mañana, que descanse.

Promoción de la empresa: marketing y publicidad

En esta unidad aprendes a...

- **Formular preguntas indirectas**

  Me pregunto si sería posible alquilar o reservar un cañón de proyección para unas horas.

- **Expresar desconcierto**

  ¡Qué raro que...!
  No entiendo que / cómo...
  Cuánto me extraña que...
  Me resulta verdaderamente increíble que...
  Lamento que...

- **Citar las palabras de alguien**

  Como decía X en su obra Y: "..."

- **Expresar agradecimiento en una presentación o conferencia**

  Quiero agradecer a los presentes su asistencia, y a los organizadores del congreso el haberme invitado...

- **Terminar una presentación**

  Muchas gracias por su atención.

- **Expresar deseo de agradar**

  Confío en que les resulte útil la presentación que vamos a hacer.
  Esperamos que disfruten con el programa previsto.

- **Ofrecer la posibilidad de mantener el contacto**

  En la página web encontrarán un buzón de reclamaciones/sugerencias...
  ¿Serían tan amables de rellenar el formulario sobre solicitud de información?

- **Informar sobre el turno de preguntas**

  Si les parece bien, al final se va a establecer el turno de preguntas.
  Pueden interrumpirme en cualquier momento para preguntar.

- **Expresar consecuencias**

  O sea que... / Por (lo) tanto... / Por lo que...

- **Expresar tiempo futuro**

  Llámenos tan pronto como nos necesite.
  Antes de que lo piense, se lo tendremos hecho.

Unidad 8

Promoción de la empresa: marketing y publicidad

1. Un *stand* en la feria nacional "Imagen de España"

1.1. En la agencia publicitaria ISAO reciben información sobre la feria nacional que se va a celebrar en San Sebastián. El objetivo es promocionar el potencial económico y comercial de cada una de las comunidades.
Mira el plano de la feria.

¿Qué *stands* crees que son los más idóneos para ser visitados por el mayor número de público? Justifica tu respuesta.
¿Qué servicios necesitarías en el *stand*? Luz, conexión telefónica...

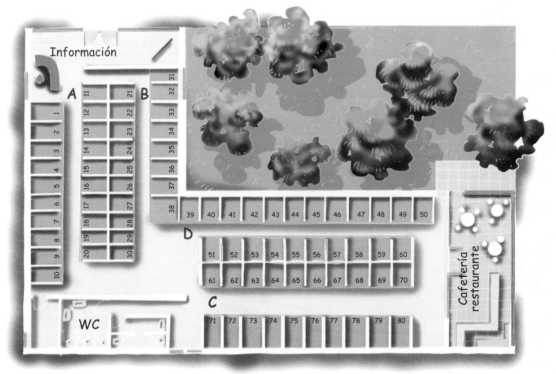

[31]

1.2. Escucha la conversación telefónica y responde a las preguntas.

> – ¿Cuál es el coste de un *stand*?
> – ¿Qué servicios adicionales se ofrecen por *stand*?

¿Coincide el texto de la conversación con vuestra hipótesis sobre los *stands* más visitados?

1.3. A partir de vuestro conocimiento de España, imaginad una empresa que promociona productos de Andalucía (aceite de oliva, vino, etc.). También os podéis imaginar cualquier otro tipo de empresa que promocione productos, energía, etc. de una región española. Acabáis de conocer los servicios que ofrecen para los *stands* en la feria "Imagen de España", ¿vais a necesitar algún otro servicio adicional?

Ejemplo:
– Nosotros tenemos publicidad en vídeo o sea que/por lo que/por (lo) tanto necesitaríamos alquilar un equipo de televisión y vídeo durante al menos dos días.

2. Ciclo de conferencias

Paralelamente a la exposición de la feria "Imagen de España", se celebra un ciclo de conferencias para dar a conocer el concepto del geo-negocio y contribuir al marketing de la industria y el comercio de las diferentes regiones.

2.1. Tenéis que hacer una presentación de los productos de vuestra empresa para ganar clientes, ¿qué medios y materiales vais a necesitar? Relacionad cada elemento con su imagen y marcad con una cruz los que os resultan imprescindibles.

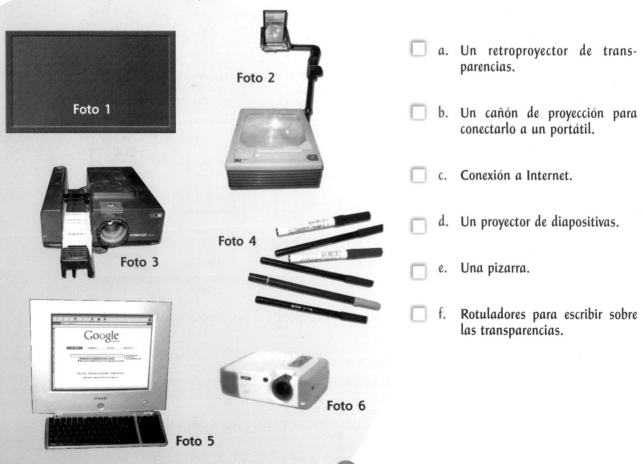

Foto 1

Foto 2

Foto 3

Foto 4

Foto 5

Foto 6

☐ a. Un retroproyector de transparencias.

☐ b. Un cañón de proyección para conectarlo a un portátil.

☐ c. Conexión a Internet.

☐ d. Un proyector de diapositivas.

☐ e. Una pizarra.

☐ f. Rotuladores para escribir sobre las transparencias.

2.2. ¿Qué otros recursos podéis necesitar? Buscad en el diccionario la traducción y haced una puesta en común.

2.3. Tenéis que solicitar el material que vais a necesitar por teléfono, ¿cómo transcurrirá la conversación? Escribidla. Si podéis, daos la espalda y simulad la conversación mientras tomáis nota de lo que vais diciendo. Podéis usar como modelo la conversación de la actividad 1.

Para preguntar puedes hacerlo de forma directa o indirecta:
- *Necesitaría un cañón de proyección para conectar a mi portátil, ¿podrían decirme con quién tengo que contactar?*
- *Me pregunto si sería posible alquilar o reservar un cañón de proyección para unas horas.*

2.4. Después de la conversación, os piden que paséis un fax o un correo electrónico confirmando la reserva de esos medios y materiales así como el día y la hora de la ponencia o presentación.

3. Ciclo de conferencias

3.1. Entre todos, buscad algún ejemplo para las siguientes acciones que tienen lugar en la charla de un conferenciante.

a. Expresar agradecimiento en una presentación.

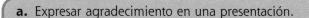

b. Terminar una presentación.

c. Expresar deseo de agradar.

d. Ofrecer la posibilidad de mantener el contacto.

e. Informar sobre el turno de preguntas.

f. Citar las palabras de alguien.

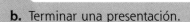

[32] **3.2.** Estás preparando tu intervención o charla sobre el nuevo producto de tu empresa en una feria internacional. Como entrenamiento, asistes a otras charlas. Toma nota de ejemplos que pueden completar la actividad anterior. Escucha dos o tres veces la audición.

3.3. Aquí tienes la transcripción de la audición. Subraya en diferentes colores tus respuestas a la actividad anterior.

O Buenos días. Primeramente, quiero agradecer a los presentes su asistencia y, a los organizadores del congreso, el haberme invitado. Confío en que disfruten de esta conferencia. Durante la hora que dura mi charla, voy a presentarles...

O Si les parece bien, podemos establecer un turno de preguntas al final de la presentación. Se les ha repartido una carpeta con el esquema de la presentación y un CD-ROM de información y demostración sobre nuestros servicios y productos...

O Hablando de este tema, y como decía Toni Segarra en una entrevista que le hicieron hace poco, "la creatividad ahorra dinero, pero sin dinero no vamos a ninguna parte".

O Pueden contactar con nosotros a través de nuestro portal, en http://www... donde encontrarán un buzón de sugerencias, y en la dirección de correo electrónico consultas@altaconsultoría.es. Muchas gracias por su atención.

En algunos ejemplos se usa el *infinitivo compuesto* = **haber** + *participio*. Ejemplo:
• Gracias por **haberme invitado.**

Los pronombres van detrás del verbo **haber**.

El verbo **querer** se usa con infinitivo.
  • Quiero **agradecer** a los presentes su asistencia...

Si usamos **querer que**, necesitamos el presente de subjuntivo.
  • **Quiero que se presente** al equipo que ha diseñado la estrategia publicitaria.

3.4. A continuación encontrarás otros ejemplos de las mismas acciones; relaciónalos. ¡Atención! Algunas frases se pueden relacionar con más de una acción.

a. Expresar agradecimiento en una presentación. •

b. Terminar una presentación. •

c. Expresar deseo de agradar. •

d. Ofrecer la posibilidad de mantener el contacto. •

e. Informar sobre el turno de preguntas. •

f. Citar las palabras de alguien. •

• **1.** Y con esta diapositiva he terminado mi presentación. Muchas gracias.

• **2.** ¿Serían tan amables de rellenar el formulario sobre solicitud de información...?

• **3.** Y ya para terminar, sólo me resta agradecerles la atención prestada. Nada más.

• **4.** Esperamos que el programa cubra las expectativas que ha despertado.

• **5.** Me pueden enviar cualquier comentario o solicitud de información sobre los productos que estén más interesados a...

• **6.** Pueden interrumpirme en cualquier momento y atenderé gustoso a sus preguntas.

• **7.** En este momento, me gustaría citar las palabras de...

3.5. Vamos a jugar al dominó en grupos de cuatro. Para ello, antes, hay que preparar las fichas: en una de las partes figurará una de las acciones y en la otra una frase. Las acciones habrá que repetirlas para que figuren todas las frases que han salido en clase. Ganará la persona que coloque antes todas las fichas.

4. Algunos imprevistos

4.1. Seguro que habéis participado en alguna feria, bien como proveedores o como clientes. ¿Qué imprevistos han surgido? Servicios que no estaban a punto, personas que se retrasaban en las citas... Completadlo en la pizarra.

4.2. Estáis en el *stand* de la feria "Imagen de España" y os encontráis con algunos detalles que no están solucionados. Completad las frases.

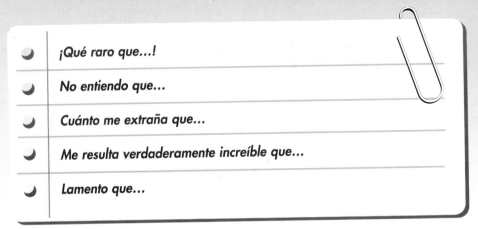

- ¡Qué raro que...!

- No entiendo que...

- Cuánto me extraña que...

- Me resulta verdaderamente increíble que...

- Lamento que...

- El jefe de marketing no ha llegado y tiene una persona esperándole.
- En el folleto de publicidad del congreso no se han introducido las últimas correcciones.
- Faltan los expositores con las listas de precios.
- Las cintas de vídeo promocionales están defectuosas.
- La responsable de clientes no ha confirmado su llegada.
- Nadie ha reservado un cañón de proyección para la conferencia.
- No hay carpetas suficientes para los asistentes a la presentación en el ciclo de conferencias.
- El ordenador no registra los pedidos.

Ejemplo:
- ¡Qué raro que no esté aquí Luis!
- No entiendo que no tengamos carpetas suficientes.
- Me resulta verdaderamente increíble que no estén probadas las cintas de vídeo.
- Lamento que el vídeo no funcione.
- ¡Cuánto me extraña que no tengan un cañón de proyección!

En los ejemplos se ha usado el **presente de subjuntivo**, que ya conoces. Repasa su morfología en el apéndice gramatical, si lo necesitas.

5. La cara de la publicidad

5.1. Observad estos anuncios, pertenecen a Galicia. ¿A qué público están dirigidos? ¿Qué se vende o transmite en cada uno de ellos?

5.2. Fijaos en el lenguaje visual y textual que emplean. Comentadlo con el resto de compañeros de la clase.

Ejemplo:
- En el anuncio de la cerveza, el componente cultural es muy fuerte. La referencia al refrán "De fuera vendrán y de tu casa te echarán" transmite…
- La foto de los edificios acompañan adecuadamente al texto…

Aquí tienes adjetivos que te pueden ayudar:

- **Es adecuado/inadecuado** • **Escaso/prolífico o abundante** • **Preciso/impreciso**
- **Correcto/incorrecto** • **Reiterativo o repetitivo**

5.3. Si tenemos en cuenta el público al que se dirigen, ¿creéis adecuada la forma de transmitir el mensaje? ¿Qué cambiaríais?

Ejemplo:
► Yo creo que el texto tendría que ser más directo.
▷ Sí, yo también. Pero para que sea más directo, hay que pensar en otra fórmula. Yo incluiría un eslogan; si queremos que llegue de forma más contundente al público, hay que darle una frase que impacte y retenga en su memoria, en su subconsciente…

Aquí tienes más adjetivos que pueden serte útiles:

- *Enérgico*
- *Sugerente*
- *Penetrante*
- *Directo*
- *Impactante*
- *Armonioso*
- *Contundente*
- *Poderoso*
- *Estimulante*
- *Preciso*
- *Serio*
- *Cómico*

Presta atención al uso del subjuntivo con **para que.**
Como hemos visto en la actividad 3, con **querer que** se usa el subjuntivo.

6. Cuñas publicitarias

[33]

6.1. Escucha unas cuñas radiofónicas. ¿Qué se está ofreciendo?

a. ☐ Una empresa de servicios		e. ☐ Un restaurante	
b. ☐ Un coche		f. ☐ Renfe	
c. ☐ Una empresa de seguros		g. ☐ Un vuelo	
d. ☐ Un detergente		h. ☐ Una asesoría	

Cuña	Ofrece

[34]

6.2. Escuchad ahora las cuñas publicitarias completas y podréis comprobar vuestras respuestas.

6.3. De los anuncios escuchados, ¿cuál es el que os ha llamado más la atención? ¿Qué estilo os ha gustado más? Si necesitáis adjetivos para definirlos, recordad los vistos en la actividad anterior.

Líderes en
soluciones a medida

Una guardería cierra por fiesta local,
no es ningún problema.
Una mancha en su mejor abrigo, llámenos.
Cena íntima en casa, ya lo tenemos todo preparado.
Un cóctel sorpresa y sin nada que ponerse, no le
dedique más tiempo.

No lo dude, somos la solución a sus problemas.
LLámenos tan pronto como nos necesite, a cualquier hora y dedique su tiempo a otra cosa:

☎ **676 76 76 76**
y también en
www.todohecho.com

Más vale a tiempo
Madrid-Barcelona en 3 horas y media.
Sin reserva.
Le esperamos.

≥ Renfe

Con la salud no se juega, y con los

compromisos profesionales y los amigos

tampoco. Reservas en el 975 190 190

antes de las dos de la tarde.

Taberna Degustación no le fallará.

¿sus **cuentas**
le dan **dolor** de **cabeza**?

Asesoría Total

¿Tiene vértigo a la calculadora? Delegue en nosotros.
Antes de que lo piense, se lo tendremos hecho. Llevamos
fiscalidad, contabilidad, jurídico... Nos puede encontrar
en www.asesoriatotal.es.
Asesoría Total, atendemos en toda España.

Cuando
Tan pronto como } **+** presente de subjuntivo
Antes de que

- *Llámenos **tan pronto como** nos necesite.*
- ***Antes de que** lo **piense,** se lo tendremos hecho.*

El uso del subjuntivo en estas frases expresa futuro (recuerda que también pueden ir con indicativo para expresar acciones experimentadas: *Nos llamó tan pronto como nos necesitó*).

6.4. Tenéis que poner voz a los anuncios de la actividad 5 para cuñas radiofónicas. Fijaos en los recursos lingüísticos que se han empleado. Recordad que tenéis que tener muy claro el destinatario al que pretendéis llegar y los objetivos.
Si lo preferís, podéis optar por elaborar tres cuñas publicitarias radiofónicas publicitando:

- El recinto ferial de Madrid.
- Un portal de Internet.
- Un libro titulado "Cómo hacer buenas presentaciones en público".

6.5. Presentad vuestras cuñas a toda la clase. ¿Qué cuña os gusta más? Entre todos otorgaréis el "Premio Publicidad Magnífica".

7. Reseña de prensa

7.1. Durante el transcurso de la feria, la prensa nacional y local se hacen eco de la noticia. Lee atentamente los siguientes recortes de prensa.

3

Imagen de España

La feria "Imagen de España" ha sido visitada por 1 476 000 personas, ·de las cuales 894 000 han sido profesionales de los diferentes sectores que tenían cita de miércoles a viernes. El fin de semana la feria ha sido dedicada al gran público, que ha respondido con una asistencia masiva.

La feria "Imagen de España" fue inaugurada el miércoles a las 12.00 h por el alcalde de la ciudad. Y ayer domingo fue clausurada a las 19.00 h con declaraciones de satisfacción por parte de los participantes.

Dentro de los actos que arropan la muestra, cabe destacar un ciclo de conferencias que ha sido coordinado por el doctor Emilio Valdelaguna y entre cuyos invitados se encuentran diversas personalidades del mundo de la economía.

Hoy sábado,

se han abierto las puertas de la feria "Imagen de España" al gran público, que ha acogido la iniciativa de buen grado y con grandes expectativas. El hecho de poder acercarse a conocer los planteamientos comerciales y económicos que se están gestando en el resto de comunidades ha despertado gran curiosidad.

Es sabido por todos el interés que despierta en el gran público la celebración de este tipo de eventos. La posibilidad que se les ha brindado de invertir el tiempo de ocio en el conocimiento de su país sin tener que desplazarse ni hacer kilómetros, es una idea que ha tentando a gran parte de los habitantes de San Sebastián.

7.2. Entre todos, comentad el núcleo de la noticia de cada uno de los recortes de prensa. ¿Hay alguna palabra que no entendáis?

Se utiliza una nueva forma verbal, la pasiva: **conjugación del verbo** ser + *participio*.

7.3. Subraya las formas verbales en pasiva que te encuentres.
¿En qué tiempo verbal están las formas subrayadas?

Forma	Tiempo verbal
ha sido visitada	Pasiva en pretérito pefecto

7.4. **¿Te atreves a redactar unas reseñas de prensa sobre alguna feria conocida de tu país? Fíjate en el vocabulario usado.**

8. Preposiciones

¿Recuerdas el uso de las preposiciones? Completa las frases con las preposiciones adecuadas.

1. Quiero agradecer .... los organizadores del congreso su invitación.

2. Si tienen cualquier duda, pueden interrumpirme *(1)*......... cualquier momento *(2)*...... preguntarme.

3. No tengo ninguna preocupación *(1)*........ el asunto. Confío *(2)*....... mis colaboradores.

4. Destacó el ciclo de conferencias .... los diferentes eventos que se organizaron durante el fin de semana en San Sebastián.

5. Ayer domingo fue clausurada la feria "Imagen de España" *(1)*......... declaraciones de satisfacción *(2)* .... parte de los organizadores.

9. Escribe

Invitación a un *stand*

9.1. **Lee el siguiente correo electrónico para invitar a posibles clientes a visitar vuestro** *stand*.

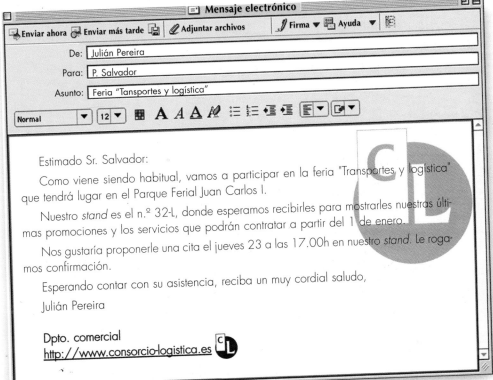

Estimado Sr. Salvador:

Como viene siendo habitual, vamos a participar en la feria "Transportes y logística" que tendrá lugar en el Parque Ferial Juan Carlos I.

Nuestro *stand* es el n.º 32-L, donde esperamos recibirles para mostrarles nuestras últimas promociones y los servicios que podrán contratar a partir del 1 de enero.

Nos gustaría proponerle una cita el jueves 23 a las 17.00h en nuestro *stand*. Le rogamos confirmación.

Esperando contar con su asistencia, reciba un muy cordial saludo,

Julián Pereira

Dpto. comercial
http://www.consorcio-logistica.es

9.2. Redacta un correo electrónico para invitar a unos clientes a la feria. Piensa en la relación que mantienes con ellos, es decir, si es más o menos formal.

En el texto debes incluir:

✔ *un saludo formal*
✔ *una introducción*
✔ *la información sobre la ubicación del stand*
✔ *avance de servicios o productos para lla-mar la atención*
✔ *una propuesta concreta para citarse*
✔ *una despedida formal*

Estas son algunas palabras y frases que te pueden ayudar a la hora de redactar el texto:

- Os/le comunicamos que el próximo día... se celebrará/tendrá lugar... y desearíamos contar con vuestra/su presencia.
- Adjuntamos dos invitaciones para...
- Esperamos que pueda asistir.

Recuerda que es importante que dejes bien claro dónde se os puede localizar y cuándo se puede concertar una cita. La disponibilidad, en cualquier caso, conviene dejarla bien explícita.

Para atraer la atención de los clientes, hay que introducir algún tipo de información que sirva de gancho para concretar la cita.

Te recordamos que:

- las palabras terminadas en **vocal**, en **-n** o en **-s** que llevan el acento tóni-co (no gráfico) en la penúltima sílaba no se acentúan.
  Ejemplo: es**cri**ben, sa**li**da.
- las palabras terminadas en **consonante excepto -n** o **-s** que llevan el acento tónico (no gráfico) en la última sílaba no se acentúan.
  Ejemplo: re**loj**, pa**pel**.
- si no siguen estas reglas, llevan un **acento gráfico** en la sílaba donde se encuentra el acento tónico.
  Ejemplo: ca**fé**, rat**ón**, **dó**lar, inter**és**, **pró**ximo.

Ejemplos que aparecen en el anterior correo electrónico: **tendrá, logística, etc.**

¿Puedes encontrar más palabras que lleven acento gráfico? ¿Sabes por qué lo llevan?

10. Diferencias culturales

10.1. Selecciona un anuncio que te impacte (televisión, prensa, vallas publicitarias...). Puede ser de tu país o, si quieres que sea español, selecciona algo de Internet o de alguna revista que puedas adquirir en un quiosco.

Describe por qué te gusta y qué es lo que más te ha llamado la atención de ese anuncio.

¿Qué lenguaje se ha usado para asociar el producto a esa forma de publicidad y qué componentes culturales subyacen al mismo?

Para hablar de publicidad puedes usar:

- Romántica
- Sutil
- Directa
- Agresiva
- Erótica
- Subliminal
- Engañosa
- Ingenua
- Impactante
- Intrigante
- Narrativa
- Visual
- Sin palabras (música e imagen)

Los medios utilizados en publicidad pueden ser:

- vallas publicitarias
- prensa y publicaciones
- televisión
- radio
- teléfonos móviles
- Internet

10.2. Comentad vuestras propuestas. ¿Podrían funcionar los anuncios que habéis elegido en los siguientes países? Completad la siguiente tabla.

Anuncio	País	Sí/No funcionaría	Por qué
	España		
	Alemania		
	Rusia		
	Japón		
	Arabia Saudí		
	Estados Unidos		
	Israel		
	Sudán		
	....		
	....		

11. Lectura

La creatividad ahorra dinero

11.1. A continuación encontraréis una serie de afirmaciones sobre el mundo publicitario. Señalad si estáis de acuerdo o no. Si no estáis de acuerdo, formulad vuestra propia opción.

	De acuerdo	En desacuerdo	*Nuestra opción*
La simplicidad es un pilar de la comunicación.			
Reconocer el mensaje por parte del público es básico.			
Un anuncio debe transmitir sensaciones.			
La originalidad engancha en el gran público.			
La creatividad tiene que ser contenida, para no arrollar y poder llegar a todas las franjas de edades.			

11.2. Leed el siguiente texto perteneciente a una entrevista a Toni Segarra, socio fundador de una agencia publicitaria muy admirada, SCPF.

"La creatividad ahorra dinero"

La simplicidad y el reconocimiento del mensaje por parte del público son, para Toni Segarra, dos de los pilares fundamentales en temas de comunicación hoy día. Y lo que ha contribuido a que la creatividad se haya puesto de moda.

Tal vez el mayor éxito del famoso anuncio de la mano de BMW sea el reconocimiento de una sensación placentera. Como apunta, "no quiero dar recetas, pero a la hora de inventarte cosas, la originalidad puede ser peligrosa. Uno tiene que reconocer en lo que le dicen algo que ya había pensado. Como cuando lees un poema o un cuento y piensas: cuántas veces he pensado esto y no he sabido expresarlo tan bien. Es decir, es algo que reconoces como parte de ti de algún modo". Tales características son las que reúne uno de sus anuncios más efectivos: *Lo tenemos*, para la cadena de electrodomésticos MediaMarkt. "Aquí", señala, "queríamos lograr con el lema que la gente supiera que cualquier cosa que busque puede encontrarla aquí. Y es muy primitivo y muy básico, pero creo que es efectivo a tope, al cien por cien". Y es que, resalta, "en estos últimos años nos hemos dado cuenta de que es mucho más básico que la gente hable de un *spot*, que recuerde la marca, que la asocie a algo; que no esos otros *spots* que son casi invisibles, que por más que pasan no terminan de dejar huella. La creatividad se ha convertido en algo tan bueno y tan valioso por esto: porque ahorra dinero".

Texto adaptado de *Emprendedores*

11.3. ¿Qué opináis de las ideas expresadas por Toni Segarra? Comentad con vuestros compañeros vuestro parecer sobre el texto y las respuestas de 11.1.

Tarea final

Feria económica internacional

1. Vamos a transformar el aula en un palacio de ferias y congresos. Para ello tenéis que formar grupos y escoger una empresa local, es decir, del lugar del que procedéis. Si es posible, convendría que os sintierais cómodos o identificados con la empresa, para poder "vender" mejor.
Debéis tener claro:
    a. quién es vuestro público destinatario
    b. qué ofertáis al cliente (un producto, un servicio, una consultoría...).

2. Vamos a asistir por interés promocional a la "Feria económica internacional" y tenemos que preparar el *stand* de la feria y la publicidad que se va a repartir (podéis pensar en diferentes formatos: papel, vídeo, CD-ROM, casete...).

3. También hay que preparar una presentación en el ciclo de conferencias que se organiza. En él vais a presentar vuestro producto o servicios a través de la publicidad que habéis diseñado. Muy importante: pactad con el resto de la clase un tiempo máximo de duración de la presentación.

4. Se inaugura la "I Feria económica internacional" y su ciclo de conferencias. Entre los grupos, podéis rifar el orden de las presentaciones. Prestad mucha atención: se va a fallar el premio "Mejor presentación del año".

Cada grupo va a otorgar una puntuación a cada presentación, para ello puede serviros de guía el siguiente cuadro. Tenéis que completar los medios y materiales que se han utilizado en cada presentación (casete, fotocopias, etc.) y valorar los recursos lingüísticos que se han empleado (la cantidad y la corrección de los que han aparecido en la unidad), también podéis añadir otros criterios.

Título de la presentación	Medios utilizados	Recursos lingüísticos utilizados de esta unidad	....	Puntuación

Cuando cada grupo tenga su puntuación, sumad en la pizarra los resultados y preparad una cartulina para exponer en la clase los títulos de las presentaciones que hayan ganado (primer premio, segundo y tercero).

HISPANOAMÉRICA

HISPANOAMÉRICA

1 Al día siguiente, mientras María Delia desayuna en la habitación del hotel y lee el periódico, tiene encendida la TV y presta atención a un reportaje sobre Venezuela.

Noticias

Venezuela

Polación:
24 170 000 (actual)
Superficie:
912 050 km²
Capital: Caracas
Moneda: Bolívar
Idioma: español

[35] Escucha con María Delia el reportaje y completa los siguientes esquemas con la información más relevante.

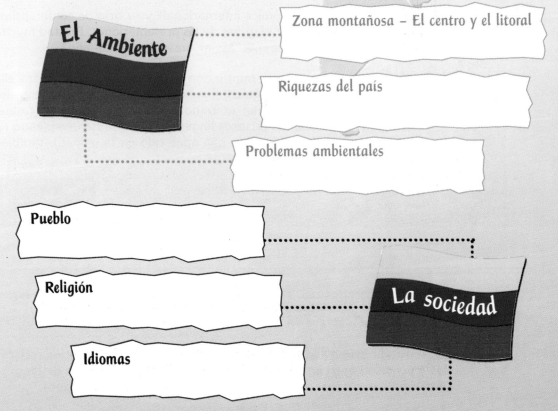

El Ambiente

Zona montañosa – El centro y el litoral

Riquezas del país

Problemas ambientales

Pueblo

Religión

La sociedad

Idiomas

Nombre oficial

El Estado

División administrativa

Capital y otras ciudades

2

En el periódico lee, además, un reportaje sobre los bancos venezolanos.

2.1. Trabajad en grupos de tres. Leed solamente la información de uno de los siguientes recuadros.

Alumno A

De acuerdo a la Ley, en Venezuela pueden abrirse cuentas bancarias en moneda extranjera. Estas cuentas sólo podrán movilizarse en dos formas: a) mediante retiros totales o parciales en moneda nacional (de curso legal), en cuyo caso la operación de cambio se efectuará al tipo de cambio del día. b) La cuenta también podrá movilizarse mediante transferencia o cheque emitido por el banco depositario, girado contra sus corresponsales en el exterior del país. En el caso de cuentas abiertas en las sucursales de bancos regidos por la Ley venezolana en el exterior, las cuentas podrán movilizarse mediante cheques librados por el titular de la cuenta.

Alumno B

La moneda venezolana se denomina Bolívar, como homenaje a Simón Bolívar, El Libertador de Venezuela y de otras cuatro naciones americanas: Bolivia, Colombia, Ecuador y Perú.

El régimen monetario venezolano está regulado por la Ley del Banco Central de Venezuela, conforme a la cual corresponde a este organismo, con carácter de exclusividad, el derecho de emitir billetes y acuñar moneda de curso legal en todo el territorio de la República.

Actualmente están en circulación billetes de 5, 10, 20, 50, 100, 500, 1000, 2000, 5000 y 10 000 bolívares, aunque el Banco Central ha anunciado la emisión de billetes de 20 000 y 50 000 bolívares y la paulatina eliminación de la circulación de billetes de baja denominación.

Alumno C

El Consejo Bancario recomendó que los bancos, en el "horario normal" de atención al público, abrieran sus taquillas a las 8.30 a.m. y las cerraran a las 3.30 p.m. Pero además, hoy en día, son muchos los bancos que dan servicio a su clientela en "horario especial", que se extiende hasta las 6.00 de la tarde, hasta las 7.00 y aún más tarde y también los sábados, los domingos y los días feriados.

2.2. Contesta las siguientes preguntas. Si no conoces la respuesta, pregunta a tus compañeros de equipo, ellos pueden ayudarte.

1. ¿Cuál es la moneda venezolana?

2. ¿Cuál es el horario bancario recomendado en Venezuela?

3. ¿Puede abrirse una cuenta bancaria en moneda extranjera?

4. ¿De qué forma se pueden movilizar las cuentas?

5. ¿Qué institución regula el régimen monetario venezolano?

6. ¿Cuál es la opción tomada por algunos bancos en cuanto al horario de apertura?

3

¿Qué sabemos o recordamos?
En grupos, contestad a las siguientes preguntas. ¡Podéis consultar en Internet!

www.bcv.org.ve   www.revistainterforum.com/espanol/
www.bancoex.com   www.inversorlatino.com

1. ¿Cuántas monedas conoces de Hispanoamérica y a qué país corresponden?

2. Elige cinco monedas de países hispanoamericanos y busca su cambio a €.

3. ¿Cuál es la moneda de Hispanoamérica más fuerte en relación con el dólar?

4. ¿Qué es NAFTA?

4

María Delia ha recibido la información que solicitó a la compañía **www.a-venezuela.com.**
María Delia está interesada en hacer una buena y atractiva página *web* con su socio venezolano.
Aquí tienes distintas propuestas de contenidos que podrían aparecer en su página.

Toda la clase, decidid cuáles elegiríais para incluir en la página *web*. Argumentad vuestra elección.
¡Usad en vuestra discusión las herramientas lingüísticas aprendidas en la unidad!

Apéndice gramatical

Apéndice gramatical

INDICADORES TEMPORALES

Algunos indicadores temporales de uso frecuente:

- **Desde** + punto concreto en el pasado + presente de indicativo/pretérito perfecto.
  El orden también puede ser:
  presente de indicativo/pretérito perfecto + **desde** + punto concreto en el pasado.

- **Desde hace** + periodo de tiempo + presente de indicativo/pretérito perfecto.
  El orden también puede ser:
  presente de indicativo/pretérito perfecto + **desde hace** + periodo de tiempo.

- **Hace** + periodo de tiempo / adjetivo indefinido de cantidad (ejemplo: mucho) + **que** + presente de indicativo/pretérito perfecto.

- **Hace** + periodo de tiempo + pretérito indefinido.
  El orden también puede ser:
  pretérito indefinido + **hace** + periodo de tiempo.

- Para preguntar usamos: ¿**Desde cuándo** + presente de indicativo/pretérito perfecto?
  ¿**Hace mucho que** + presente de indicativo/pretérito perfecto?

> **Desde** mis comienzos en este sector, siempre **he sentido** la necesidad de motivar e innovar. Unidad 1.
> Llevo la contabilidad de esta empresa **desde hace** muchos años. Unidad 1.
> **Hace** diez años **vendí** mi anterior cadena. Unidad 1.
> ► ¿Hace mucho que eres director de finanzas?
> ▷ **Desde** el 3 de enero. Unidad 1.

COLOCACIÓN DEL ADJETIVO CALIFICATIVO

Se coloca, generalmente, detrás de un nombre o de los verbos **ser** o **estar**.
Puede ir también delante de un nombre. En este caso añade un matiz enfático.

> Juan José Hidalgo **es innovador** y **creativo.** Unidad 1.
> Inauguré un **pequeño local**. Unidad 1.

CASOS ESPECIALES DE CONCORDANCIA DE SUSTANTIVOS

Los sustantivos en femenino singular que empiezan por **a** o **ha** tónica van acompañadas del artículo **el** o **un**.

> Os envío información sobre **el acta** de la última reunión. Unidad 3.

NUMERALES PARTITIVOS

Algunos numerales partitivos son:

medio
un cuarto de
la mitad de
la tercera parte de
la cuarta parte de

> *La mitad de las pymes españolas no habían realizado nunca auditorías.* Unidad 6.

ADJETIVOS POSESIVOS

Concuerdan en género y número con lo poseído.

ADJETIVOS POSESIVOS DELANTE DEL SUSTANTIVO

	Masculino singular	Femenino singular	Masculino plural	Femenino plural
1.ª persona singular	mi	mi	mis	mis
2.ª persona singular	tu	tu	tus	tus
3.ª persona singular	su	su	sus	sus
1.ª persona plural	nuestro	nuestra	nuestros	nuestras
2.ª persona plural	vuestro	vuestra	vuestros	vuestras
3.ª persona plural	su	su	sus	sus

ADJETIVOS POSESIVOS DETRÁS DEL SUSTANTIVO

	Masculino singular	Femenino singular	Masculino plural	Femenino plural
1.ª persona singular	mío	mía	míos	mías
2.ª persona singular	tuyo	tuya	tuyos	tuyas
3.ª persona singular	suyo	suya	suyos	suyas
1.ª persona plural	nuestro	nuestra	nuestros	nuestras
2.ª persona plural	vuestro	vuestra	vuestros	vuestras
3.ª persona plural	suyo	suya	suyos	suyas

> *Mi empresa es una empresa multinacional.* Unidad 6.

PRONOMBRES POSESIVOS

Los pronombres posesivos sustituyen al sustantivo.

	Masculino singular	Femenino singular	Masculino plural	Femenino plural
1.ª persona singular	el mío	la mía	los míos	las mías
2.ª persona singular	el tuyo	la tuya	los tuyos	las tuyas
3.ª persona singular	el suyo	la suya	los suyos	las suyas
1.ª persona plural	el nuestro	la nuestra	los nuestros	las nuestras
2.ª persona plural	el vuestro	la vuestra	los vuestros	las vuestras
3.ª persona plural	el suyo	la suya	los suyos	las suyas

> *Nuestras regiones son más ricas que la vuestra.* Unidad 6.
> *La mía es una empresa familiar.* Unidad 6.

ADJETIVOS INDEFINIDOS

- Pueden ser variables o invariables.
- Algunos adjetivos indefinidos son: **algún,-a,-os,-as; bastante,-es; cada; cierto,-a,-os,-as; cualquier; demasiado,-a,-os,-as; diferente,-es; mismo,-a,-os,-as; mucho,-a,-os,-as; ningún,-a,-os,-as; otro,-a,-os,-as; poco,-a,-os,-as; uno,-a,-os,-as; todo,-a,-os,-as.**

> *El crecimiento esperado para la economía española presenta una **cierta** desaceleración con respecto al año pasado. Unidad 5.*
> ***Otro** sector con problemas es el del calzado. Unidad 5.*

PRONOMBRES INDEFINIDOS

- Pueden ser variables o invariables.
- Algunos pronombres indefinidos son: **algo; alguno,-a,-os,-as; alguien; bastante,-es; cualquiera; demasiado,-a,-os,-as; mucho,-a,-os,-as; nada; nadie; ninguno,-a; poco,-a,-os,-as; todo,-a,-os,-as.**

> ***Algo** estaba fallando ahora. Unidad 1.*
> ***Cualquiera** tiene acceso a ello. Unidad 4.*

PERÍFRASIS VERBALES

Perífrasis verbales de infinitivo:
- **volver a** + infinitivo. Indica repetición de una acción.
- **soler** + infinitivo. Indica acción habitual en el presente o en el pasado. Se utiliza sólo con los tiempos presente e imperfecto de indicativo.
- **deber de** + infinitivo. Indica hipótesis.

> ***Solía** dibujar durante horas. Unidad 1.*
> *Me parece que José Lladró **debe de** ser una persona moderna. Unidad 1.*

FORMAS COMPARATIVAS IRREGULARES

más bueno	=	**mejor**
más malo	=	**peor**
más grande	=	**mayor**
más pequeño	=	**menor**

> *El control de las cuentas es **mucho mejor** ahora. Unidad 7.*
> *Banca es el sector **mejor** valorado. Unidad 5.*
> *Todavía es **peor** para nosotros porque... Unidad 6.*

SUSTANTIVACIÓN DEL ADJETIVO

Lo + **adjetivo** convierte el adjetivo en un nombre abstracto. El adjetivo adopta la forma masculina singular.

> ***Lo difícil** es encontrar piso en el centro de la ciudad. Unidad 5.*

PREPOSICIONES

Las más usadas son:

a, ante, bajo, con, contra, de, desde, en, entre, excepto, hacia, hasta, incluso, mediante, para, por, salvo, según, sin, sobre, tras.

Siempre que establecen relación con los pronombres personales, éstos aparecen en las formas siguientes: **mí, ti, él, ella, usted, nosotros/as, vosotros/as, ellos, ellas, ustedes.** Excepto si se trata de las siguientes preposiciones: **entre, excepto, según,** que se usan con los pronombres **yo** y **tú.**

Ejemplos:
> Esto es **para ti**.
> Lo hacen **por mí**.
> **Excepto tú y yo**, todos estaban al corriente de esos cambios.
> **Según tú**, deberíamos evitar esos gastos.

La preposición **con** junto a los pronombres **mí** y **ti** se transforma en **conmigo** y **contigo**.
Ejemplo:
> Ellos trabajarán primero **conmigo** y, después irán a tu despacho para discutir **contigo** los proyectos que tenemos entre manos.

> Algunos, entre ellos algunos colaboradores que hoy continúan a mi lado, empezaron **conmigo** de botones. Unidad 1.
> Estoy a favor de todo lo que se ha dicho hasta ahora, **excepto** en lo que respecta al punto 6. Unidad 5.
> **Según** los resultados obtenidos, los factores que deberían medir la reputación corporativa son... Unidad 5.

VERBOS CON PREPOSICIÓN

confiar en
contar con
contribuir a
consistir en
correr a cargo de
hacer frente a
disponer de

> **Confío en** mis colaboradores. Unidad 8.
> Los fondos éticos **cuentan con** una vida de sólo dos años. Unidad 7.
> La creación del servicio **contribuyó a** lograr una mejor percepción que los clientes... Unidad 4.
> El proyecto **consiste en** que los profesores... Unidad 6.
> La comercialización **corre a cargo del** Centro Nacional de Educación a distancia. Unidad 6.
> Las empresas podrán **hacer frente a** sus programas colaborando... Unidad 6.
> La Caja de Ahorros del Mediterráneo **dispone de** un buzón de sugerencias. Unidad 4.

ADVERBIOS

El adverbio es una parte invariable de la oración que modifica el significado del adjetivo, del verbo o de otras palabras u oraciones.

- Clases de adverbios:
  Adverbios de modo: **rápidamente, mal, bien, mejor...**
  Adverbios de cantidad: **poco, nada, mucho, muy, bastante...**
  Adverbios de lugar: **aquí, allí, arriba, abajo...**

Adverbios de tiempo: **hoy, ya, recientemente, todavía, aún...**
Adverbios de afirmación: **sí, cierto, efectivamente, seguramente...**
Adverbios de negación: **no, nunca, jamás, tampoco...**
Adverbios de duda: **quizás, acaso, probablemente...**

> *Hay que tratar **abiertamente** los problemas del equipo. Unidad 4.*
> *Han realizado **bien** su trabajo. Unidad 4.*

PRETÉRITO PERFECTO, INDEFINIDO E IMPERFECTO

El pretérito perfecto

Usos
Para hablar de hechos terminados dentro de un tiempo no terminado.
Algunos marcadores que nos indican el uso de este tiempo son: **esta mañana, esta semana, este año, hasta ahora, hoy, últimamente, todavía no, ya,** etc.

El pretérito indefinido
Usos
Para hablar de una acción terminada en un tiempo también terminado.
Algunos marcadores que nos indican el uso de este tiempo son: **ayer, anteayer, la semana pasada, el año pasado, en 1952,** etc.

El pretérito imperfecto
Usos
Para describir situaciones o costumbres en el pasado.
Para hablar de la edad en el pasado. "***Tenía*** *veinte años cuando montó su primera empresa."*

Contraste de los tres pasados anteriores

> *En 1954 **montó** su primera oficina de viajes. En ella **trabajaban** sólo dos empleadas. Unidad 2.*
> *Hace unos días **abrí** una cuenta con ustedes y todavía no me **ha llegado** la información. Unidad 8.*

PRETÉRITO PLUSCUAMPERFECTO

Se forma con el auxiliar **haber** en la forma del pretérito imperfecto y el participio del verbo.

Terminaciones regulares

	-AR Hablar	**-ER** Comer	**-IR** Vivir
Yo	había habl**ado**	había com**ido**	había viv**ido**
Tú	habías habl**ado**	habías com**ido**	habías viv**ido**
Él/ella/usted	había habl**ado**	había com**ido**	había viv**ido**
Nosotros/as	habíamos habl**ado**	habíamos com**ido**	habíamos viv**ido**
Vosotros/as	habíais habl**ado**	habíais com**ido**	habíais viv**ido**
Ellos /ellas/ustedes	habían habl**ado**	habían com**ido**	habían viv**ido**

Apéndice gramatical

Participios irregulares:

abrir: **abierto**
decir: **dicho**
escribir: **escrito**
hacer: **hecho**
poner: **puesto**
romper: **roto**
ver: **visto**
volver: **vuelto**

Usos
Expresa una acción pasada y concluida anterior a otra acción también pasada.

> El conocimiento y la cohesión del equipo, que todo el mundo **había considerado** un gran logro, **habían desaparecido**. Unidad 1.
> Jesús Bauluz **había sido** un profesional de enorme éxito. Unidad 1.

FUTURO IMPERFECTO

Se forma añadiendo las siguientes terminaciones al infinitivo:

Yo	**-é**
Tú	**-ás**
Él /ella/usted	**-á**
Nosotros/as	**-emos**
Vosotros/as	**-éis**
Ellos/ellas/ustedes	**-án**

Verbos regulares

	-AR	-ER	-IR
	Hablar	**Comer**	**Vivir**
Yo	hablar**é**	comer**é**	vivir**é**
Tú	hablar**ás**	comer**ás**	vivir**ás**
Él/ella/usted	hablar**á**	comer**á**	vivir**á**
Nosotros/as	hablar**emos**	comer**emos**	vivir**emos**
Vosotros/as	hablar**éis**	comer**éis**	vivir**éis**
Ellos/ellas/ustedes	hablar**án**	comer**án**	vivir**án**

Verbos irregulares

Algunos sustituyen la vocal del infinitivo por una **-d-**:

poner: **pondré, pondrás, pondrá...**
salir: **saldré, saldrás, saldrá...**
tener: **tendré, tendrás, tendrá...**
valer: **valdré, valdrás, valdrá...**
venir: **vendré, vendrás, vendrá...**

Algunos pierden la vocal del infinitivo:

caber: **cabré, cabrás, cabrá...**
haber: **habré, habrás, habrá...**
poder: **podré, podrás, podrá...**
querer: **querré, querrás, querrá...**
saber: **sabré, sabrás, sabrá...**

Otros son completamente irregulares:

decir: **diré, dirás, dirá...**
hacer: **haré, harás, hará...**

Usos

Expresa una acción futura, fre-
cuentemente acompañado de
expresiones de tiempo: **la semana próxima, luego, después,
mañana,** etc.

> *Dentro de dos años, un 9% de la población femenina **se dedi-
> cará** en España al sector de las nuevas tecnologías. Unidad 2.
> La nueva oferta se **pondrá** en marcha en España a partir del pró-
> ximo otoño. Unidad 2.*

CONDICIONAL SIMPLE

Se forma añadiendo las siguientes terminaciones al infinitivo:

Yo	**-ía**
Tú	**-ías**
Él/ella/usted	**-ía**
Nosotros/as	**-íamos**
Vosotros/as	**-íais**
Ellos/ellas/ustedes	**-ían**

Verbos regulares

	-AR	-ER	-IR
	Hablar	**Comer**	**Vivir**
Yo	hablar**ía**	comer**ía**	vivir**ía**
Tú	hablar**ías**	comer**ías**	vivir**ías**
Él/ella/ usted	hablar**ía**	comer**ía**	vivir**ía**
Nosotros/as	hablar**íamos**	comer**íamos**	vivir**íamos**
Vosotros/as	hablar**íais**	comer**íais**	vivir**íais**
Ellos /ellas/ustedes	hablar**ían**	comer**ían**	vivir**ían**

Verbos irregulares

Algunos sustituyen la vocal del infinitivo por una **-d-**:

poner: **pondría, pondrías, pondría...**
salir: **saldría, saldrías, saldría...**
tener: **tendría, tendrías, tendría...**
valer: **valdría, valdrías, valdría...**
venir: **vendría, vendrías, vendría...**

Algunos pierden la vocal del infinitivo:

caber: **cabría, cabrías, cabría...**
haber: **habría, habrías, habría...**
poder: **podría, podrías, podría...**
querer: **querría, querrías, querría...**
saber: **sabría, sabrías, sabría...**

Otros son completamente irregulares:

decir: **diría, dirías, diría...**
hacer: **haría, harías, haría...**

Usos

Expresión cortés o prudente de deseo.
A mí me gustaría *saber vuestra opinión sobre esta página.* Unidad 2.
Me interesaría *destacar...* Unidad 2.
Expresión de consejo.
Yo, en tu lugar, **hablaría** *otra vez con el cliente.* Unidad 2.
Formulación cortés de preguntas. Petición cortés.
*¿***Podrías** *explicarme qué quiere decir...?* Unidad 2.

IMPERATIVO

Imperativo afirmativo

Verbos regulares

	-AR	-ER	-IR
	Hablar	**Comer**	**Vivir**
Tú	habl**a**	com**e**	viv**e**
Usted	habl**e**	com**a**	viv**a**
Vosotros/as	habl**ad**	com**ed**	viv**id**
Ustedes	habl**en**	com**an**	viv**an**

Imperativos irregulares

Verbos propios*:

decir: **di, diga...**
hacer: **haz, haga...**
ir: **ve, vaya...**
poner: **pon, ponga...**
salir: **sal, salga...**
ser: **sé, sea...**
tener: **ten, tenga...**
venir: **ve, vea...**

*(Ver lista completa en: *En equipo.es,* nivel elemental, págs. 188-191).

Verbos que comparten irregularidad*:

cerrar: **cierra, cierre...** Siguen esta irregularidad: **empezar, pensar, recomendar,** etc.
recordar: **recuerda, recuerde...** Siguen esta irregularidad: **almorzar, costar, contar,** etc.
preferir: **prefiere, prefiera...** Siguen esta irregularidad: **referirse, invertir, requerir,** etc.
repetir: **repite, repita...** Siguen esta irregularidad: **elegir, conseguir, pedir, seguir,** etc.
conocer: **conoce, conozca...** Siguen esta irregularidad: **desconocer, ofrecer, crecer,** etc.
distribuir: **distribuye, distribuya...** Siguen esta irregularidad: **intuir, destruir, construir,** etc.

*(Ver lista completa en: *En equipo.es,* nivel elemental, págs. 188-191).

Usos

Para expresar órdenes, dar instrucciones, conceder permiso, invitar a hacer algo, dar un consejo o llamar la atención.

Cuando el imperativo afirmativo va acompañado de pronombres personales, éstos se colocan detrás del verbo unido a él.

> **Entrégalo** *en mano.* Unidad 3.
> **Mándalo** *por correo.* Unidad 3.
> **Llámenos** *para concertar una cita.* Unidad 3.
> **Traiga** *su DNI.* Unidad 3.

Imperativo negativo

Verbos regulares

	-AR **Hablar**	**-ER** **Comer**	**-IR** **Vivir**
Tú	no habl**es**	no com**as**	no viv**as**
Usted	no habl**e**	no com**a**	no viv**a**
Vosotros/as	no habl**éis**	no com**áis**	no viv**áis**
Ustedes	no habl**en**	no com**an**	no viv**an**

Imperativos irregulares

Verbos propios*:
  decir: **no digas, no diga...**
  hacer: **no hagas, no haga...**
  ir: **no vayas, no vaya...**
  poner: **no pongas, no ponga...**
  salir: **no salgas, no salga...**
  ser: **no seas, no sea...**
  tener: **no tengas, no tenga...**
  venir: **no vengas, no venga...**

(Ver lista completa en el cuadro final)

* Estos verbos tienen la misma irregularidad en presente de subjuntivo.

Verbos que comparten irregularidad:
  cerrar: **no cierres, no cierre...** Siguen esta irregularidad: **empezar, pensar, recomendar,** etc.
  recordar: **no recuerdes, no recuerde...** Siguen esta irregularidad: **almorzar, costar, contar,** etc.
  preferir: **no prefieras, no prefiera...** Siguen esta irregularidad: **referirse, invertir, requerir,** etc.
  repetir: **no repitas, no repita...** Siguen esta irregularidad: **elegir, conseguir, pedir, seguir,** etc.
  conocer: **no conozcas, no conozca...** Siguen esta irregularidad: **desconocer, ofrecer, crecer,** etc.
  distribuir: **no distribuyas, no distribuya...** Siguen esta irregularidad: **intuir, destruir, construir,** etc.

(Ver lista completa en el cuadro final)

Usos

Lo usamos para expresar órdenes negativas, prohibiciones y para dar consejos o instrucciones.
En la forma negativa del imperativo, los pronombres se colocan delante del verbo.

> No **lo mandes** por correo postal. Unidad 3.
> No **te dirijas** a las empresas que no te gustan. Unidad 3.

EXPRESIÓN DE IMPERSONALIDAD

* Pronombre indefinido **uno/a** seguido del verbo en tercera persona.
* Pronombre **se** seguido del verbo en tercera persona.

> **Uno trabaja** mejor cuando está solo. Unidad 4.
> **Se rinde** más **si se ha tenido** tiempo de descansar. Unidad 4.

SUBJUNTIVO

Presente de subjuntivo

Verbos regulares

	-AR	-ER	-IR
	Hablar	**Comer**	**Vivir**
Yo	habl**e**	com**a**	viv**a**
Tú	habl**es**	com**as**	viv**as**
Él/ella/usted	habl**e**	com**a**	viv**a**
Nosotros/as	habl**emos**	com**amos**	viv**amos**
Vosotros/as	habl**éis**	com**áis**	viv**áis**
Ellos/ellas/ustedes	habl**en**	com**an**	viv**an**

Presente de subjuntivo irregulares

Verbos propios*:

decir: **diga, digas, diga...**
hacer: **haga, hagas, haga...**
ir: **vaya, vayas, vaya...**
poner: **ponga, pongas, ponga...**
salir: **salga, salgas, salga...**
ser: **sea, seas, sea...**
tener: **tenga, tengas, tenga...**
venir: **venga, vengas, venga...**

(Ver lista completa en el cuadro final)

* Estos verbos tienen la misma irregularidad en imperativo negativo.

Verbos que comparten irregularidad:

cerrar: **cierre, cierres, cierre...** Siguen esta irregularidad: **empezar, pensar, recomendar,** etc.

recordar: **recuerde, recuerdes, recuerde...** Siguen esta irregularidad: **almorzar, costar, contar,** etc.

preferir: **prefiera, prefieras, prefiera...** Siguen esta irregularidad: **referirse, invertir, requerir,** etc.

repetir: **repita, repitas, repita...** Siguen esta irregularidad: **elegir, conseguir, pedir, seguir,** etc.

conocer: **conozca, conozcas, conozca...** Siguen esta irregularidad: **desconocer, ofrecer, crecer,** etc.

distribuir: **distribuya, distribuyas, distribuya...** Siguen esta irregularidad: **intuir, destruir, construir,** etc.

(Ver lista completa en el cuadro final)

Usos

Con verbos de influencia como *gustar, preferir, prohibir, permitir, molestar, sugerir, recomendar,* etc. se usa subjuntivo en la frase subordinada.

> *Prefiero* que un empleado me *explique* cuáles son las posibilidades de los productos. Unidad 7.
> *No me gusta* que mi información bancaria *sea* accesible a "piratas". Unidad 7.
> *Me molesta* que un empleado *pierda* el tiempo. Unidad 7.
> *Te sugiero* que lo *pagues* todo con tarjeta de crédito. Unidad 7.
> *Quiero que se presente...* Unidad 8.

En las frases impersonales se usa subjuntivo en la frase subordinada, menos cuando expresan seguridad o certeza.

En frases impersonales tales como: **es posible que, es mejor que, es necesario que, es lógico que, es fantástico que,** etc. se usa el subjuntivo en las frases subordinadas, tanto en las afirmativas como en las negativas.

Ejemplos:

> *Es posible* que *venga.*
> *Es seguro* que *vendrá.*

> *Es fantástico* que *podamos* hacer transferencias sin movernos de casa. Unidad 7.
> *No es necesario que sea* un plan igual para todos. Unidad 7.

Se usa también el subjuntivo después de frases de sorpresa o extrañeza: **qué raro que, me extraña que, no entiendo que, no puede ser que, me resulta increíble que,** etc.

> *¡Qué raro que* no *esté* aquí Luis! Unidad 8.
> *No entiendo que* no *tengamos* carpetas suficientes. Unidad 8.
> *Me resulta verdaderamente increíble* que no *estén* probadas las cintas de vídeo. Unidad 8.
> *¡Cuánto me extraña* que no *tengan* un cañón de proyección! Unidad 8.

Apéndice gramatical

ESTILO INDIRECTO

Cambio de persona: con el verbo que introduce el estilo indirecto (**dice que, explica que, comenta que...**) en presente.

Estilo directo	Estilo indirecto
Salgo de viaje.	*Dice que sale de viaje.*
No he entregado el informe.	*Dice que no ha entregado el informe.*

Cambio de persona, de adverbio y de tiempo verbal: con el verbo que introduce el estilo indirecto en pasado (**dijo que, explicó que, comentó que...**).

Estilo directo	Estilo indirecto
Presente	**Pretérito imperfecto**
Estoy aquí.	*Dijo que estaba allí.*
Pretérito perfecto	**Pretérito pluscuamperfecto**
Hemos logrado el contrato.	*Dijeron que habían logrado el contrato.*
Pretérito imperfecto	**Pretérito imperfecto**
No sabíamos dónde estaba la oficina.	*Dijeron que no sabían dónde estaba la oficina.*
Pretérito indefinido	**Pretérito pluscuamperfecto**
Ayer estuve en la empresa de Pedro Ramos.	*Dijo que anteayer había estado en la empresa de Pedro Ramos.*
Futuro	**Condicional**
Mañana visitaré la Feria Construmat.	*Ayer dijo que hoy visitaría la Feria Construmat.*
Condicional	**Condicional**
Me gustaría hacerlo.	*Dijo que le gustaría hacerlo.*

> *Me dijeron que más de la mitad de las pymes españolas no **habían realizado** nunca auditorías de sus sistemas.* Unidad 6.
> *Leí ayer que las pymes **deberían** invertir ahora en productos de infraestructura de Internet.* Unidad 6.

LOS PRONOMBRES RELATIVOS

Algunos pronombres relativos son: **que, cual, quien, cuyo.**

que   Es invariable, se coloca después del sujeto y se refiere tanto a personas como a cosas. Puede ir precedido de preposición o de artículo *(el, la, los, las, lo)*. Si le precede una preposición, se coloca el artículo correspondiente (el que concuerde en género y número con el sustantivo que hace de antecedente; *lo*, si este antecedente es una oración) entre la preposición y el relativo ***que**.

cual   Tiene plural: **cuales**. El antecedente puede ser persona o cosa; va precedido siempre de artículo *(el, la, los, las, lo)* y puede ir precedido de preposición.

quien Tiene plural: **quienes**. El antecedente sólo puede ser persona. Puede ir precedido de preposición pero no de artículo.

cuyo El antecedente puede ser persona o cosa, concuerda en género y número con el sustantivo que le sigue. Se utiliza para indicar propiedad.
Se usa poco en el lenguaje hablado, su uso está prácticamente restringido al lenguaje escrito.

> *Se realiza un estudio del proyecto de la empresa, **en el que** se incluye un plan económico.* Unidad 6.
> *La factura es por la distribución de 750 cajas de vino, **cuyo** pago se acordó en tres plazos, de los **cuales** ya han sido abonados los dos primeros.* Unidad 5.

ORACIONES SUBORDINADAS CAUSALES

Vienen introducidas por conjunciones como **ya que, porque, como, dado que, puesto que**, e informan sobre la causa o motivo de que se produzca o no lo indicado en la oración principal.

> *Me urge recibir la transferencia, **porque** tengo que pagar el piso.* Unidad 7.

ORACIONES SUBORDINADAS DE CONDICIÓN

Vienen introducidas por diversas conjunciones. De entre ellas, la más habitual es **si**. Introducen oraciones que ponen una condición para que se cumpla lo que dice la oración principal.

> ***Si** una tarde tengo que salir antes, ¿puedo recuperar ese tiempo durante la semana?* Unidad 4.

ORACIONES SUBORDINADAS TEMPORALES

Vienen introducidas por conjunciones como **cuando** y **tan pronto como**. Estas oraciones señalan referencias temporales (anterioridad, simultaneidad o posterioridad) en tiempos verbales en indicativo o en subjuntivo.
Si se hace referencia al futuro se usa el presente de subjuntivo.

> *Llámenos **tan pronto como** nos **necesite**.* Unidad 8.

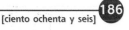

ORACIONES SUBORDINADAS FINALES

Vienen introducidas por conjunciones como **para que** y **a fin de que**, siempre seguidas de subjuntivo. Introducen oraciones que explican la finalidad de la acción principal.

> *Para que* el mensaje *sea* más directo, hay que pensar en otra fórmula.
> Unidad 8.

ORACIONES INTERROGATIVAS INDIRECTAS

Estas oraciones se construyen con **si** o con pronombres o adverbios interrogativos (**qué, quién, cuál, dónde, cómo,** etc.).

> Me preguntó *si* sería posible alquilar o reservar un cañón de proyección para unas horas. Unidad 8.

VOZ PASIVA

Su estructura es la siguiente: **ser** + participio + (**por** + sujeto agente)

El participio concuerda en género y número con el sujeto paciente.

> La feria "Imagen de España" *fue inaugurada por* el alcalde de la ciudad.
> Unidad 8.
> El ciclo de conferencias *ha sido coordinado por* el doctor Casalduero.
> Unidad 8.

VERBOS REGULARES*

	Pluscuamper-fecto	Futuro imperfecto	Condicional simple	Presente Subjuntivo	Imperativo negativo
hablar	había hablado	hablaré	hablaría	hable	
	habías hablado	hablarás	hablarías	hables	no hables
	había hablado	hablará	hablaría	hable	no hable
	habíamos hablado	hablaremos	hablaríamos	hablemos	
	habíais hablado	hablaréis	hablaríais	habléis	no habléis
	habían hablado	hablarán	hablarían	hablen	no hablen
comer	había comido	comeré	comería	coma	
	habías comido	comerás	comerías	comas	no comas
	había comido	comerá	comería	coma	no coma
	habíamos comido	comeremos	comeríamos	comamos	
	habíais comido	comeréis	comeríais	comáis	no comáis
	habían comido	comerán	comerían	coman	no coman
vivir	había vivido	viviré	viviría	viva	no vivas
	habías vivido	vivirás	vivirías	vivas	no viva
	había vivido	vivirá	viviría	viva	
	habíamos vivido	viviremos	viviríamos	vivamos	no viváis
	habíais vivido	viviréis	viviríais	viváis	no vivan
	habían vivido	vivirán	vivirían	vivan	

IRREGULARES PROPIOS

	Pluscuamper-fecto	Futuro imperfecto	Condicional simple	Presente Subjuntivo	Imperativo negativo
andar	había andado	andaré	andaría	ande	
	habías andado	andarás	andarías	andes	no andes
	había andado	andará	andaría	ande	no ande
	habíamos andado	andaremos	andaríamos	andemos	
	habíais andado	andaréis	andaríais	andéis	no andéis
	habían andado	andarán	andarían	anden	no anden
dar	había dado	daré	daría	dé	
	habías dado	darás	darías	des	no des
	había dado	dará	daría	dé	no dé
	habíamos dado	daremos	daríamos	demos	
	habíais dado	daréis	daríais	deis	no deis
	habían dado	darán	darían	den	no den
decir	había dicho	diré	diría	diga	
	habías dicho	dirás	dirías	digas	no digas
	había dicho	dirá	diría	diga	no diga
	habíamos dicho	diremos	diríamos	digamos	
	habíais dicho	diréis	diríais	digáis	no digáis
	habían dicho	dirán	dirían	digan	no digan
caber	había cabido	cabré	cabría	quepa	
	habías cabido	cabrás	cabrías	quepas	no quepas
	había cabido	cabrá	cabría	quepa	no quepa
	habíamos cabido	cabremos	cabríamos	quepamos	
	habíais cabido	cabréis	cabríais	quepáis	no quepáis
	habían cabido	cabrán	cabrían	quepan	no quepan

*Ver el resto de tiempos del modo indicativo e imperativo afirmativo en el Nivel Elemental de **En equipo.es**.

Apéndice gramatical

	Pluscuamper-fecto	Futuro imperfecto	Condicional simple	Presente Subjuntivo	Imperativo negativo
caer	había caído	caeré	caería	caiga	
	habías caído	caerás	caerías	caigas	no **caigas**
	había caído	caerá	caería	caiga	no **caiga**
	habíamos caído	caeremos	caeríamos	caigamos	
	habíais caído	caeréis	caeríais	caigáis	no **caigáis**
	habían caído	caerán	caerían	caigan	no **caigan**
estar	había estado	estaré	estaría	esté	
	habías estado	estarás	estarías	estés	no estés
	había estado	estará	estaría	esté	no esté
	habíamos estado	estaremos	estaríamos	estemos	
	habíais estado	estaréis	estaríais	estéis	no estéis
	habían estado	estarán	estarían	estén	no estén
hacer	había **hecho**	haré	haría	haga	no **hagas**
	habías **hecho**	harás	harías	hagas	no **haga**
	había **hecho**	hará	haría	haga	
	habíamos **hecho**	haremos	haríamos	hagamos	no **hagáis**
	habíais **hecho**	haréis	haríais	hagáis	no **hagan**
	habían **hecho**	harán	harían	hagan	
ir	había **ido**	iré	iría	vaya	
	habías **ido**	irás	irías	vayas	no **vayas**
	había **ido**	irá	iría	vaya	no **vaya**
	habíamos **ido**	iremos	iríamos	vayamos	
	habíais **ido**	iréis	iríais	vayáis	no **vayáis**
	habían **ido**	irán	irían	vayan	no **vayan**
oír	había **oído**	oiré	oiría	oiga	
	habías **oído**	oirás	oirías	oigas	no **oigas**
	había **oído**	oirá	oiría	oiga	no **oiga**
	habíamos **oído**	oiremos	oiríamos	oigamos	
	habíais **oído**	oiréis	oiríais	oigáis	no **oigáis**
	habían **oído**	oirán	oirían	oigan	no **oigan**
poder	había pod**ido**	podré	podría	pueda	
	habías pod**ido**	podrás	podrías	puedas	no pued**as**
	había pod**ido**	podrá	podría	pueda	no pueda
	habíamos pod**ido**	podremos	podríamos	podamos	
	habíais pod**ido**	podréis	podríais	pod**áis**	no pod**áis**
	habían pod**ido**	podrán	podrían	puedan	no pued**an**
poner	había **puesto**	pondré	pondría	ponga	
	habías **puesto**	pondrás	pondrías	pongas	no **pongas**
	había **puesto**	pondrá	pondría	ponga	no **ponga**
	habíamos **puesto**	pondremos	pondríamos	pongamos	
	habíais **puesto**	pondréis	pondríais	pongáis	no **pongáis**
	habían **puesto**	pondrán	pondrían	pongan	no **pongan**
querer	había quer**ido**	querré	querría	quiera	
	habías quer**ido**	querrás	querrían	quieras	no quier**as**
	había quer**ido**	querrá	querría	quiera	no quiera
	habíamos quer**ido**	querremos	querríamos	queramos	
	habíais quer**ido**	querréis	querríais	quer**áis**	no quer**áis**
	habían quer**ido**	querrán	querrían	quieran	no quier**an**

	Pluscuamper-fecto	Futuro imperfecto	Condicional simple	Presente Subjuntivo	Imperativo negativo
saber	había sabido	sabré	sabría	sepa	
	habías sabido	sabrás	sabrías	sepas	no sepas
	había sabido	sabrá	sabría	sepa	no sepa
	habíamos sabido	sabremos	sabríamos	sepamos	
	habíais sabido	sabréis	sabríais	sepáis	no sepáis
	habían sabido	sabrán	sabrían	sepan	no sepan
salir	había salido	saldré	saldría	salga	
	habías salido	saldrás	saldrías	salgas	no salgas
	había salido	saldrá	saldría	salga	no salga
	habíamos salido	saldremos	saldríamos	salgamos	
	habíais salido	saldréis	saldríais	salgáis	no salgáis
	habían salido	saldrán	saldrían	salgan	no salgan
ser	había sido	seré	sería	sea	
	habías sido	serás	serías	seas	no seas
	había sido	será	sería	sea	no sea
	habíamos sido	seremos	seríamos	seamos	
	habíais sido	seréis	seríais	seáis	no seáis
	habían sido	serán	serían	sean	no sean
tener	había tenido	tendré	tendría	tenga	
	habías tenido	tendrás	tendrías	tengas	no tengas
	había tenido	tendrá	tendría	tenga	no tenga
	habíamos tenido	tendremos	tendríamos	tengamos	
	habíais tenido	tendréis	tendríais	tengáis	no tengáis
	habían tenido	tendrán	tendrían	tengan	no tengan
traer	había traído	traeré	traería	traiga	
	habías traído	traerás	traerías	traigas	no traigas
	había traído	traerá	traería	traiga	no traiga
	habíamos traído	traeremos	traeríamos	traigamos	
	habíais traído	traeréis	traeríais	traigáis	no traigáis
	habían traído	traerán	traerían	traigan	no traigan
valer	había valido	valdré	valdría	valga	
	habías valido	valdrás	valdrías	valgas	no valgas
	había valido	valdrá	valdría	valga	no valga
	habíamos valido	valdremos	valdríamos	valgamos	
	habíais valido	valdréis	valdríais	valgáis	no valgáis
	habían valido	valdrán	valdrían	valgan	no valgan
venir	había venido	vendré	vendría	venga	
	habías venido	vendrás	vendrían	vengas	no vengas
	había venido	vendrá	vendría	venga	no venga
	habíamos venido	vendremos	vendríamos	vengamos	
	habíais venido	vendréis	vendríais	vengáis	no vengáis
	habían venido	vendrán	vendrían	vengan	no vengan
ver	había visto	veré	vería	vea	
	habías visto	verás	verías	veas	no veas
	había visto	verá	vería	vea	no vea
	habíamos visto	veremos	veríamos	veamos	
	habíais visto	veréis	veríais	veáis	no veáis
	habían visto	verán	verían	vean	no vean

VERBOS QUE COMPARTEN IRREGULARIDAD

	Pluscuamper-fecto	Futuro imperfecto	Condicional simple	Presente Subjuntivo	Imperativo negativo
cerrar (ie)	había cerrado	cerraré	cerraría	cierre	
	habías cerrado	cerrarás	cerrarías	cierres	no cierres
	había cerrado	cerrará	cerraría	cierre	no cierre
	habíamos cerrado	cerraremos	cerraríamos	cerremos	
	habíais cerrado	cerraréis	cerraríais	cerréis	no cerréis
	habían cerrado	cerrarán	cerrarían	cierren	no cierren
recordar (ue)	había recordado	recordaré	recordaría	recuerde	no recuerdes
	habías recordado	recordarás	recordarías	recuerdes	no recuerde
	había recordado	recordará	recordaría	recuerde	
	habíamos recordado	recordaremos	recordaríamos	recordemos	no recordéis
	habíais recordado	recordaréis	recordaríais	recordéis	no recuerden
	habían recordado	recordarán	recordarían	recuerden	
preferir (ie)(i)	había preferido	preferiré	preferiría	prefiera	
	habías preferido	preferirás	preferirías	prefieras	no prefieras
	había preferido	preferirá	preferiría	prefiera	no prefiera
	habíamos preferido	preferiremos	preferiríamos	prefiramos	
	habíais preferido	preferiréis	preferiríais	prefiráis	no prefiráis
	habían preferido	preferirán	preferirían	prefieran	no prefieran
repetir (i)	había repetido	repetiré	repetiría	repita	
	habías repetido	repetirás	repetirías	repitas	no repitas
	había repetido	repetirá	repetiría	repita	no repita
	habíamos repetido	repetiremos	repetiríamos	repitamos	
	habíais repetido	repetiréis	repetiríais	repitáis	no repitáis
	habían repetido	repetirán	repetirían	repitan	no repitan
conocer (zc)	había conocido	conoceré	conocería	conozca	
	habías conocido	conocerás	conocerías	conozcas	no conozcas
	había conocido	conocerá	conocería	conozca	no conozca
	habíamos conocido	conoceremos	conoceríamos	conozcamos	
	habíais conocido	conoceréis	conoceríais	conozcáis	no conozcáis
	habían conocido	conocerán	conocerían	conozcan	no conozcan
distribuir (y)	había distribuido	distribuiré	distribuiría	distribuya	
	habías distribuido	distribuirás	distribuirías	distribuyas	no distribuyas
	había distribuido	distribuirá	distribuiría	distribuya	no distribuya
	habíamos distribuido	distribuiremos	distribuiríamos	distribuyamos	
	habíais distribuido	distribuiréis	distribuiríais	distribuyáis	no distribuyáis
	habían distribuido	distribuirán	distribuirían	distribuyan	no distribuyan

Apéndice gramatical